Schult · Bilanzierung und Bilanzpolitik

Bilanzierung und Bilanzpolitik

in Aufgabe + Lösung

Ein Arbeitsbuch
von Prof. Dr. Eberhard Schult

4., aktualisierte Auflage

Rudolf Haufe
Verlag
Freiburg im Breisgau

CIP-Kurztitelaufnahme der Deutschen Bibliothek

Schult, Eberhard:
Bilanzierung und Bilanzpolitik in Aufgabe
[und] Lösung: e. Arbeitsbuch. – 4., aktualisierte
Aufl. – Freiburg im Breisgau: Haufe,
1978.
ISBN 3-448-00914-8

ISBN 3-448-00914-8

1. Auflage 1973 (ISBN 3-448-00365-4)
2., durchgesehene Auflage 1975 (ISBN 3-448-00503-7)
3., überarbeitete Auflage 1977 (ISBN 3-448-00731-5)
4., aktualisierte Auflage 1978

Umschlag-Entwurf: Strehlau & Hofe, Freiburg i. Br.
Druck: Rudolf Haufe Verlag, Freiburg i. Br.

Vorwort zur 4. Auflage

Wegen der erfreulich großen und anhaltenden Nachfrage war es notwendig, bereits nach kurzer Zeit eine vierte Auflage herauszubringen. Diese wurde nochmals durchgesehen und soweit notwendig aktualisiert.

Berlin, im Juli 1978 Eberhard Schult

Vorwort zur 1. Auflage

Mit dem vorliegenden Buch soll der Versuch unternommen werden, die betriebswirtschaftlichen, handels- und steuerrechtlichen Grundlagen von Bilanzierung und Bilanzpolitik in Aufgabe-Lösung-Form darzustellen. Dadurch soll der Leser zu aktiver und selbstkritischer Teilnahme veranlaßt werden. Mit der Auswahl der Aufgabengebiete wird beabsichtigt, grundsätzliche Zusammenhänge und wichtige Einzelfragen der Bilanzierung und Bilanzpolitik zu behandeln. Eine vollständige Darstellung des gesamten Stoffes ist weder angestrebt noch in dieser Form praktikabel.
Dieses Arbeitsbuch hat nur sekundär die Aufgabe, Lehrbuch zu sein. Es soll vor allem dazu dienen, den Wissensstand kritisch zu überprüfen und Anregungen zu geben, Wissenslücken durch das Studium systematischer Lehrbücher (etwa der in den Literaturhinweisen genannten) zu schließen. Weiterhin soll das Buch allen an Fragen der Bilanzierung und Bilanzpolitik interessierten Personen eine Hilfe geben: den Examenskandidaten an den Hoch- und Fachhochschulen sowie den Anwärtern der Wirtschaftsprüfer- und Steuerberater-Examina zur prüfungsnahen Vorbereitung, den Lehrenden als Grundlage eigener Übungs- und Prüfungstätigkeit und dem Praktiker zur Vertiefung und Erweiterung seines Wissens.
Für Anregungen sowie Kritik an Inhalt und Form ist der Verfasser dankbar.

Berlin, im Mai 1973 Eberhard Schult

Inhaltsverzeichnis

Abkürzungsverzeichnis

AfA	Absetzung für Abnutzung
AfaA	Absetzung für außergewöhnliche technische oder wirtschaftliche Abnutzung
AfS	Absetzung für Substanzverringerung
AHK	Anschaffungs- oder Herstellungskosten
AktG	Aktiengesetz
bestr.	bestritten
BewG	Bewertungsgesetz
BFG	Berlinförderungsgesetz
BFH	Bundesfinanzhof
ESt	Einkommensteuer
EStDV	Einkommensteuer-Durchführungsverordnung
EStG	Einkommensteuergesetz
EStR	Einkommensteuerrichtlinien
gem.	gemäß
GenG	Genossenschaftsgesetz
GewESt	Gewerbeertragsteuer
GewSt	Gewerbesteuer
GewStG	Gewerbesteuergesetz
GmbHG	Gesetz betreffend die Gesellschaften mit beschränkter Haftung
GoB	Grundsätze ordnungsgemäßer Buchführung
GuV	Gewinn- und Verlustrechnung
HGB	Handelsgesetzbuch
h.M.	herrschende Meinung
i.d.R.	in der Regel
i.e.S.	im engeren Sinne
i.w.S.	im weiteren Sinne
KSt	Körperschaftsteuer
KStG	Körperschaftsteuergesetz
MWSt	Mehrwertsteuer
RFH	Reichsfinanzhof
UmwStG	Umwandlungssteuergesetz
UStG	Umsatzsteuergesetz

Arbeitshinweise

Die Aufgaben sind in Form des Streifenprogramms angeordnet; die zu den einzelnen Aufgaben gehörenden Lösungen befinden sich jeweils auf der Rückseite desselben Blattes. Die Bearbeitung der Aufgaben ist vorteilhafterweise in der Reihenfolge der Numerierung vorzunehmen, um eine unbewußte Kenntnisnahme der folgenden Lösung zu vermeiden. Die Numerierung ist in jedem Kapitel zuerst fortlaufend im oberen Streifen angeordnet. Ist der obere Streifen bis zum Ende des Kapitels bearbeitet, so ist bis zum Anfang des Kapitels zurückzuschlagen und mit den Aufgaben des unteren Streifens zu beginnen.
Die Gliederung der Sachgebiete orientiert sich an den in den Literaturhinweisen angegebenen Lehrbüchern. Die Einhaltung dieser Reihenfolge empfiehlt sich, wenn man eine systematische Überprüfung des Wissensstandes durchführen will. Da der weitaus größte Teil der Aufgaben unabhängig von anderen Aufgaben zu lösen ist, ist es möglich, durch „zufällige" Aufgabenauswahl Kenntnisse auch in der Weise zu prüfen, wie sie etwa in mündlichen Prüfungen und in Fragenklausuren dem Kandidaten abverlangt werden.

Literaturhinweise

Bühler, O., Scherpf, P., Bilanz und Steuer, 7. Aufl. München 1971
Federmann, R., Bilanzierung nach Handelsrecht und Steuerrecht, 4. Aufl. München 1978
Gnam, A. (Hrsg.), Handbuch der Bilanzierung (Losebl.), Freiburg i. Br. 1977 ff. (früher: Handbuch des Bilanzsteuerrechts)
Hartmann, B., Bilanzen, Stuttgart 1973
Hoffmann, G., Bilanzieren kein Problem, 3. Aufl. Freiburg i. Br. 1977
Kormann, B., Die neue Handels- und Steuerbilanz, 2. Aufl. Berlin 1970
Schult, E., Die Steuern des Betriebs, Band 2: Steuerbilanz, Band 3: Steuerpolitik, Freiburg i. Br. 1977
Wöhe, G., Bilanzierung und Bilanzpolitik, 4. Aufl. München 1976

I. Bilanztheorie

Die Praxis der Bilanzerstellung ist aufgrund weitgehender gesetzlicher Vorschriften über Form und Inhalt des Jahresabschlusses stark juristisch ausgerichtet. Die „wirtschaftliche" Betrachtungsweise, die sich immer mehr neben und anstelle der juristischen durchsetzt, verlangt eine Beschäftigung mit den betriebswirtschaftlichen Grundfragen der Bilanz, also mit der Bilanztheorie. Die wichtigste theoretische Frage ist die nach der Zielsetzung der Bilanz (Aufgabe 22, 43 ff.). Da der Bilanz sowohl in der Theorie als auch in der Praxis unterschiedliche Aufgaben zugewiesen werden, ist das wichtigste Unterscheidungsmerkmal der einzelnen von der betriebswirtschaftlichen Forschung entwickelten Bilanzauffassungen (Bilanztheorien) die jeweils besonders betonte Einzelzielsetzung (monistische Bilanz) bzw. das Zielbündel (dualistische Bilanz). Nach der Zielsetzung unterscheidet man die dynamischen Bilanztheorien (Ziel: Ermittlung des periodengerechten Gewinns) und die statischen Bilanztheorien (Ziel: Darstellung des Vermögensstatus zum Bilanzstichtag) (Aufgabe 22). Daneben stellt die organische Bilanztheorie (Aufgabe 10 f.) besonders die Substanzerhaltung (substantielle Kapitalerhaltung) in den Vordergrund.

Unabhängig von der jeweiligen Zielsetzung müssen jedoch sämtliche Bilanztheorien Stellung nehmen zu dem wichtigen Problem der Kapitalerhaltung (Aufgabe 1 ff., 205 ff.). Die Erhaltung des betrieblichen Kapitals (der Substanz) ist Voraussetzung einer längerfristigen Existenz eines Unternehmens. Sind im Bilanzgewinn Preissteigerungsgewinne (Aufgabe 7, 10 f.) enthalten und werden diese an Kapitaleigner und Fiskus ausgeschüttet, so findet u.U. ein Substanzverzehr statt. Zur Frage, wann eine Kapitalerhaltung erreicht ist, gibt die Theorie und auch die Praxis unterschiedliche Antworten (Aufgabe 1 ff.). Schließlich ist der Einfluß der Bilanztheorien auf die Bilanzierungspraxis besonders bei den ordentlichen Bilanzen (Jahresschlußbilanzen) (Aufgabe 4 ff., 17, 19) wichtig für ein gleichgewichtiges Nebeneinander der rechtlichen und wirtschaftlichen Betrachtungsweise. Wegen des starken Einflusses juristischer Denkungsart sind die Handelsbilanz und über das Maßgeblichkeitsprinzip auch die Steuerbilanz statische Bilanzen mit geringfügigen dynamisch begründbaren Korrekturpositionen (Aufgabe 13 ff.). In diesen Bilanzen wird eine nominelle Kapitalerhaltung verfolgt (Aufgabe 4 ff.)

Aufgabe 1:

Welche grundsätzliche Bedeutung hat das Prinzip der Kapitalerhaltung für ein Unternehmen?
In welchen Formen drückt sich dieses Prinzip aus?

Aufgabe 12:

Wer ist der Begründer der dynamischen Bilanztheorie und in welchem Verhältnis stehen nach seiner Auffassung Bilanz und GuV zueinander?

Lösung 1:

Die Kapitalerhaltung ist Voraussetzung für die Aufrechterhaltung des Betriebsprozesses. Mittel (im allgemeinen Geldmittel) dürfen nur in dem Umfang das Unternehmen in Form von Steuerzahlungen und Ausschüttungen an die Kapitaleigner verlassen, in dem sie über die zur Kapitalerhaltung erforderlichen Vermögenswerte hinaus erwirtschaftet werden.
Das Prinzip der Kapitalerhaltung ist in drei Formen definiert:

a) nominelle Kapitalerhaltung
b) reale oder materielle Kapitalerhaltung
c) substantielle Kapitalerhaltung (in weitergehender Form relative oder qualifizierte Kapitalerhaltung)

Lösung 12:

Begründer der dynamischen Bilanztheorie ist Schmalenbach. Nach ihm ist die Bilanz ein transitorisches Konto, also ein Hilfsmittel der GuV. In der Bilanz werden die schwebenden Geschäfte (sowie Kapital und liquide Mittel) gespeichert bis sie in anderen Perioden erfolgswirksam werden. Die Bilanz dient also im wesentlichen der Periodenabgrenzung (von Einnahmen/Ausgaben bzw. Erträgen/Aufwendungen).

Aufgabe 2:

Welches ist der wesentliche Unterschied zwischen nomineller und substantieller Kapitalerhaltung?

Aufgabe 13:

Hat die Handelsbilanz grundsätzlich statischen oder dynamischen Charakter?

Lösung 2:

Die nominelle Kapitalerhaltung gilt als erreicht, wenn das Geldkapital zu seinem nominellen Wert von Bilanzstichtag zu Bilanzstichtag erhalten bleibt (Betrachtung von der Passivseite her). Dagegen ist die substantielle Kapitalerhaltung erst dann erreicht, wenn die Leistungsfähigkeit des Realvermögens von Bilanzstichtag zu Bilanzstichtag erhalten bleibt (Betrachtung von der Aktivseite her).
Anm. Das Prinzip der substantiellen Kapitalerhaltung kann als relative oder qualifizierte Kapitalerhaltung (besser: Substanzerhaltung) soweit gehen, daß die Leistungsfähigkeit erst dann als erhalten gilt, wenn sie mit der gesamtwirtschaftlichen Entwicklung Schritt hält.

Lösung 13:

Grundsätzlich wird mit der Handelsbilanz die Zielsetzung der Vermögensaufstellung verfolgt (§ 149 I AktG: Der Jahresabschluß muß einen möglichst sicheren Einblick in die Vermögenslage geben). Damit ist die Handelsbilanz grundsätzlich statisch. Der in derselben Vorschrift genannte sichere Einblick in die Ertragslage ist Aufgabe der GuV. Weiterhin kann man in der Gliederungsvorschrift des § 151 AktG und in der Einschränkung der Bildung von Rückstellungen (§ 152 VII AktG) statische Merkmale sehen.
Anm. Inwieweit der Einblick in die Vermögenslage in praxi jedoch sicher ist, mag dahingestellt sein. Immerhin hat der Bilanzierende auch nach dem AktG in großem Umfang Bewertungswahlrechte, die z. T. erheblich sind (z.B. Ansatz eines nach steuerrechtlichen Vorschriften zulässigen niedrigeren Wertes gem. §§ 154 II, 155 III AktG).

Aufgabe 3:

Ist die reale oder materielle Kapitalerhaltung durch Betrachtung der Aktivseite oder der Passivseite der Bilanz zu beurteilen?

Aufgabe 14:

Lassen sich in der Handelsbilanz auch Elemente der dynamischen Bilanztheorie erkennen?

Lösung 3:

Die reale oder materielle Kapitalerhaltung basiert wie die nominelle Kapitalerhaltung auf geld- bzw. kapitalorientiertem Denken. Sie ist also durch Betrachtung der Passivseite der Bilanz zu beurteilen.
Anm. Die reale oder materielle Kapitalerhaltung gilt als gewahrt, wenn die Kaufkraft des Endkapitals eines Wirtschaftsjahres gleich der am Beginn dieses Wirtschaftsjahres ist.

Lösung 14:

Die Bildung von Rechnungsabgrenzungsposten (wenn auch in eingeschränktem Umfang), die zulässige Aktivierung eines derivativen Firmenwertes oder von Ingangsetzungskosten wie auch die Vorschriften über Rückstellungsbildung und Aktivierung von Disagio-Beträgen deuten auf dynamische Elemente hin. Alle diese Positionen dienen der von der dynamischen Bilanztheorie geforderten periodengerechten Erfolgsabgrenzung.
Anm. Z. T. überschneiden sich hier jedoch statische und dynamische Bilanzauffassung. Im weiteren Sinne dient z. B. auch die Aktivierung und Abschreibung abnutzbarer Vermögensgegenstände der Periodenabgrenzung. Gleichzeitig sollen die Abschreibungen aber auch Wertminderungen im Vermögen, die im Laufe des Wirtschaftsjahres eingetreten sind, wiedergeben.

Aufgabe 4:

Welche Form der Kapitalerhaltung wird nach geltendem Recht in der Handels- und in der Steuerbilanz verfolgt?

Aufgabe 15:

Hat die Steuerbilanz grundsätzlich statischen oder dynamischen Charakter?

Lösung 4:

In Handels- und Steuerbilanz ist prinzipiell nur die nominelle Kapitalerhaltung durchzuführen. In beiden Bilanzen sind als höchstmögliche Werte für das Vermögen die (historischen) Anschaffungs- oder Herstellungskosten zulässig. Damit bleibt nur das eingesetzte Geldkapital zum ursprünglichen Nominalwert erhalten. Ebenso ist die Bildung von Substanzerhaltungsrücklagen o. ä. grundsätzlich untersagt.
Anm. Die Preissteigerungsrücklage gem. § 74 EStDV stellt keine Substanzerhaltungsrücklage dar, sondern bewirkt durch Steuerstundung nur eine Zins- und Liquiditätshilfe. Die Zinsvorteile wirken jedoch tendenziell in Richtung einer Substanzerhaltung.

Lösung 15:

Eine Steuerbilanz im eigenen Sinne gibt es nicht. Es handelt sich grundsätzlich um eine nach steuerrechtlichen Vorschriften modifizierte Handelsbilanz (§ 5 I EStG). Grundsätzlich ist also auch die Steuerbilanz statisch. Dem entgegen steht der § 4 I EStG, der die Steuerbilanz ausdrücklich als Instrument der Gewinnermittlung ansieht. Aus diesem Gegensatz folgen die bis heute nicht restlos geklärten unterschiedlichen Auffassungen zum bilanztheoretischen Charakter der Steuerbilanz. Insbesondere werden von der Rechtsprechung immer wieder dynamische Gesichtspunkte herangezogen, um eine (teilweise übermäßige) Aktivierungspflicht zu begründen. Die Vorschriften des EStG sind nach h.M. jedoch nur als weitgehende Normierung von Aktivierung und Abschreibung zu sehen, so daß sie keine neuen dynamischen Elemente enthalten.

Aufgabe 5:

Nach geltendem Recht wird die nominelle Kapitalerhaltung vertreten. Welche gesetzgeberische Begründung ist für diese Haltung in Handels- und Steuerbilanz maßgebend?

Aufgabe 16:

Was versteht Kosiol unter dem Begriff der pagatorischen Kosten?

Lösung 5:

Handelsbilanz: Der Gesetzgeber geht von gesellschaftsrechtlichen Verhältnissen aus. Die Gesellschafter eines Unternehmens stellen diesem einen bestimmten Geldbetrag als Eigenkapital zur Verfügung. Dieses Eigenkapital erwirtschaftet als einer der Produktionsfaktoren Gewinne bzw. Vermögenszuwächse. An dieser Vermögensentwicklung kann der Kapitaleigner nur partizipieren, wenn sein Geldkapital am Vermögenswachstum teilnimmt. Dieses Wachstum wird ebenfalls in Geld gemessen. Die Eigenkapitalgeber werden wirtschaftlich den Fremdkapitalgebern gleichgestellt.
Steuerbilanz: Die Steuerbilanz ist grundsätzlich eine modifizierte Handelsbilanz, deshalb gilt für sie formell die gleiche Begründung. Von steuerrechtlicher Seite wird darüber hinaus festgestellt, daß die historischen Werte noch am eindeutigsten zu bestimmen sind; dadurch ist die Gleichmäßigkeit der Besteuerung noch am ehesten gewährleistet. Schließlich müssen bei gleichbleibendem Finanzbedarf der öffentlichen Hand bei Zulassung der realen oder substantiellen Kapitalerhaltung die Steuersätze erhöht werden. Damit wäre die Substanzerhaltung wieder in Frage gestellt.

Lösung 16:

Pagatorische Kosten sind durch den betrieblichen Leistungsprozeß verursachter Wertverzehr, der mit den entsprechenden Auszahlungen bewertet wird.
Anm. Diese Definition erfordert eine Erweiterung des Zahlungsbegriffes in zeitlicher Hinsicht. Die Periodenabgrenzung wird mittels Verrechnungszahlungen durchgeführt; damit können auch die leistungswirtschaftlichen Vorgänge (Erträge/Aufwendungen) als Zahlungen definiert werden.

Aufgabe 6:

Hat ein Unternehmer nach geltendem Recht irgendeine Möglichkeit, bei Preissteigerungen das Ziel der Substanzerhaltung zu verfolgen?

Aufgabe 17:

Kann man die Handels- und die Steuerbilanz in diesem Sinne als pagatorische Bilanz bezeichnen?

Lösung 6:

In die Bilanz können, allerdings erst nach Besteuerung des Gewinns, offene Rücklagen eingestellt werden. Damit wächst das Eigenkapital, so daß auf der Aktivseite Wertverluste durch Preissteigerungen tendenziell ausgeglichen werden. Die Reinvestition von Produktivvermögen kann durch die zurückbehaltenen Gewinnteile finanziert werden.

Lösung 17:

Da Zusatzkosten (also nicht aufwandsgleiche kalkulatorische Kosten) weder in der handels- noch in der steuerbilanziellen Bewertung mit Herstellungskosten erscheinen und dem Aufwand in irgendeiner Periode Auszahlungen entsprechen müssen, kann diese Auffassung vertreten werden. Allerdings stimmen die juristischen und die betriebswirtschaftlichen Kostendefinitionen z. T. nicht überein, so daß dem pagatorischen Charakter der Handels- und der Steuerbilanz nur tendenzielle Bedeutung zukommt. So ist etwa der Kostencharakter bestimmter Steuerarten betriebswirtschaftlich zu bejahen, steuerrechtlich zu verneinen.

Aufgabe 7:

Welcher Einfluß wirkt besonders hemmend auf die Substanzerhaltung durch Bildung offener Rücklagen?

Aufgabe 18:

Schmidt hat in seiner organischen Bilanztheorie das Prinzip der Wertgleichheit entwickelt. Was ist darunter zu verstehen?

Lösung 7:

Der in einer Periode erwirtschaftete Gewinn (einschließlich eventueller Preissteigerungsgewinne) unterliegt der Ertragsbesteuerung (ESt, KSt, GewSt u. a.). Die Besteuerung kann so hoch sein, daß der Nettogewinn nicht ausreicht, um die offenen Rücklagen in zur Substanzerhaltung notwendiger Höhe aufzufüllen. In diesem Fall ist eine Substanzerhaltung nur durch Fremdfinanzierung möglich.

Lösung 18:

Schmidt fordert die Bewertung zum Tageswert. Bei Vermögenswerten, die zum Nominalwert bilanziert werden (Geld, Forderungen und Verbindlichkeiten) ist das Tageswertprinzip nicht anwendbar. Schmidt empfiehlt deshalb, die aktiven und die passiven Nominalwertpositionen in gleicher Höhe zu halten. Dann werden alle Geldwertverluste der einen Bilanzseite durch Geldwertgewinne der anderen Seite ausgeglichen.

Aufgabe 8:

Können stille Rücklagen einen Beitrag zur Substanzsicherung leisten?

Aufgabe 19:

Welche Bedeutung hat das Prinzip der Wertgleichheit für die Praxis?

Lösung 8:

Stille Rücklagen in jeder Form haben den gleichen Effekt wie die offenen sog. „steuerfreien Rücklagen": Sie lösen sich nach kürzerer oder längerer Zeit wieder gewinnwirksam auf. Damit kann eine Steuerersparnis im allgemeinen nicht erreicht werden. Ihre Folge sind nur Zinsgewinne und Liquiditätsvorteile, nicht die endgültige Zurückhaltung von Geldkapital. Die Zinsgewinne wirken allerdings tendenziell substanzerhaltend.
Anm. Eine endgültige Steuerersparnis ist nur dann möglich, wenn zum Zeitpunkt der Bildung der stillen Rücklagen der Ertragsteuersatz höher ist als zum Zeitpunkt der Auflösung. Dies kann u. U. bei progressivem Steuertarif (ESt) oder bei einer allgemeinen Senkung des Steuersatzes eintreten.

Lösung 19:

Da die Bilanz erst nach Ablauf des Wirtschaftsjahres aufgestellt wird, lassen sich die Geldpositionen durch bilanzpolitische Maßnahmen nicht mehr verändern. Will man das Prinzip der Wertgleichheit durchführen, so müssen schon vor dem Bilanzstichtag Geldguthaben bzw. Forderungen und Verbindlichkeiten gegenübergestellt werden. Dann kann durch Übertragung von Realgütern in Nominalwerte oder umgekehrt das Prinzip der Wertgleichheit angestrebt werden. Da sich das Prinzip jedoch nur auf den Bilanzstichtag bezieht und genannte Vermögensumschichtung hauptsächlich durch sonstige betriebspolitische und kaum durch bilanzpolitische Gesichtspunkte bestimmt wird, kommt diesem Prinzip nur eine geringe praktische Bedeutung zu. Die grundsätzliche Bedeutung des Prinzips der Wertgleichheit wird dadurch aber nicht betroffen.

Aufgabe 9:

Welche Ansicht wird von den wichtigsten Bilanztheoretikern zum Problem der Kapitalerhaltung eingenommen?

Aufgabe 20:

Stehen theoretische Überlegungen bezüglich der Bilanz**gliederung** eher im Mittelpunkt der dynamischen oder der statischen Bilanztheorien?

Lösung 9:

Nominelle Kapitalerhaltung:

Schmalenbach	– dynamische Bilanz
Le Coutre	– totale Bilanz
Kosiol	– pagatorische Bilanz
Rieger	– nominelle Bilanz
Walb	– finanzwirtschaftliche Bilanz

Substantielle Kapitalerhaltung:

Schmidt	– organische Bilanz

Relative Kapitalerhaltung:

Sommerfeldt	– eudynamische Bilanz

Lösung 20:

Auf Grund der Zielsetzung der statischen Bilanz stehen hier Probleme der Bilanzgliederung im Vordergrund: Die Zielsetzung verlangt einen möglichst klaren Einblick in die Vermögens- und Schuldenverhältnisse des Unternehmens an einem Stichtag. Die Klarheit des Einblicks hängt wesentlich von der Zweckmäßigkeit der Gliederung ab.

Anm. Bei der dynamischen Bilanztheorie stehen Bewertungsprobleme im Vordergrund. Durch die Bewertung wird das Ziel der periodengerechten Erfolgsermittlung u. U. erheblich beeinflußt.

Aufgabe 10:

Mit welchen grundsätzlichen Hinweisen läßt sich Schmidts organische Bilanztheorie charakterisieren?

Aufgabe 21:

Was versteht man unter monistischen und dualistischen Bilanztheorien?

Lösung 10:

Die organische Bilanztheorie will Geldwertänderungen eliminieren. Scheinerfolge (Preisänderungserfolge) sind von den echten Erfolgen (Umsatzerfolge) zu trennen. Echte Gewinne treten nur auf, wenn der Verkaufspreis einer Ware am Verkaufstag höher ist als der Tageswert. Deshalb sind alle Vermögensteile und Schulden zum Tageswert am Bilanzstichtag anzusetzen. Auch Abschreibungen werden auf der Basis des Tageswertes durchgeführt. Die Auf- bzw. Abwertungserfolge werden in einer gesonderten Bilanzposition (Vermögenswertänderungskonto) erfaßt, um einen Gewinn- bzw. Verlustausweis in der GuV zu vermeiden.

Lösung 21:

Verlangen die Theorien von der Bilanz nur die Erfüllung **eines** Zweckes (z. B. Erfolgsermittlung), so nennt man sie monistisch. Werden mehrere Ziele verfolgt, so nennt man die Bilanztheorie dualistisch.
Anm. In diesem Sinne kann man die Handels- und Steuerbilanz als monistisch bezeichnen, obwohl neben dem jeweiligen Hauptzweck noch andere Nebenziele verfolgt werden.

Aufgabe 11:

Ein Vermögensgegenstand sei durch folgende Werte gekennzeichnet:

Anschaffungskosten	am 9. 10. 77	DM 60,– (AK)
Verkaufspreis	am 31. 12. 77	DM 70,– (VP)
Wiederbeschaffungskosten	am 31. 12. 77	DM 75,– (WBK)

Es sind der Scheinerfolg und der Umsatzerfolg zu bestimmen!

Aufgabe 22:

Welches ist der wesentliche Unterschied zwischen den statischen und den dynamischen Bilanztheorien?

Lösung 11:

Der Gesamterfolg beträgt:	VP – AK	= + DM 10,–	(Gesamtgewinn)
Der Scheinerfolg beträgt:	WBK – AK	= + DM 15,–	(Scheingewinn)
Der Umsatzerfolg beträgt:	VP – WBK	= – DM 5,–	(Umsatzverlust)

Anm. Da die Steuerbilanz die nominelle Kapitalerhaltung vertritt, unterliegt der Gesamterfolg von DM 10,– der Besteuerung. Vom Standpunkt der substantiellen Kapitalerhaltung ist jedoch ein echter Umsatz**verlust** eingetreten. Eine Kapitalerhaltung im substantiellen Sinne ist nicht möglich, da maximal der um die Steuern verminderte Gesamtgewinn in eine offene Rücklage eingestellt werden kann. Zur Substanzerhaltung ist in diesem Fall jedoch eine Rücklagenerhöhung um DM 15,– notwendig.

Lösung 22:

Der Unterschied liegt in der Zielsetzung, die mit der Aufstellung der Bilanz erreicht werden soll. Die statische Bilanztheorie sieht den Zweck (= Ziel) der Bilanz in einer Ermittlung des Vermögens und der Schulden zum Bilanz**stichtag** (Vermögensstatus). Die dynamische Bilanztheorie sieht die Bilanz an als Instrument zur Ermittlung des **Perioden**erfolges.

II. Grundlagen

Jedes System bedarf einer Definition der Systemgrößen und der Systemregeln. Dementsprechend sind im Bilanzierungssystem die dort erfaßten Größen zu definieren und vor allem exakt abzugrenzen gegenüber denen der anderen Teilbereiche des betrieblichen Rechnungswesens (Kostenrechnung, Finanzrechnung) (Aufgabe 23 ff.). Da auf diesem Gebiet der Grundbegriffe – wie auch auf anderen Gebieten – die steuerrechtliche Terminologie von der handelsrechtlichen und der betriebswirtschaftlichen Terminologie abweicht, andererseits das Steuerrecht die Bilanzierung aber erheblich beeinflußt, ist die Kenntnis der steuerrechtlichen Grundbegriffe ebenfalls notwendig (Aufgabe 23 f., 102).
Die Regeln des Bilanzierungssystems sind unter dem Begriff der Grundsätze ordnungsmäßiger Buchführung zusammengefaßt (Aufgabe 28 ff.). Diese umschließen die ordnungsmäßige Buchführung i.e.S., die ordnungsmäßige Durchführung der Inventur und die ordnungsmäßige Bilanzierung (Aufgabe 31 ff.). Sie beruhen nicht auf einer einheitlichen Basis, sondern auf einer Vielzahl einzelner Vorschriften und Regeln (z. B. Aktiengesetz, Rechtsprechung, Fachgutachten, Fachliteratur und Gepflogenheiten der Praxis ordentlicher und ehrenwerter Kaufleute).
Die Grundsätze ordnungsmäßiger Buchführung i. e. S. gelten auch für die Bilanz und die Erfolgsrechnung, da diese den Abschluß der Finanzbuchhaltung darstellen. Außerdem sind bei der Bilanzierung besondere Grundsätze zu beachten, die formeller Art (Aufbau der Bilanz) und materieller Art (Inhalt der Bilanz) sind (Aufgabe 31). Von diesen Grundsätzen sind das Prinzip der Bilanzidentität (Aufgabe 31 f.) und das der Bewertungskontinuität (Aufgabe 34 ff.) hervorzuheben.
Neben der Handelsbilanz ist für Zwecke der Besteuerung vom Einkommen und Ertrag eine besondere Steuerbilanz aufzustellen, die ihrerseits aber auf der Handelsbilanz basiert. Dadurch besteht ein enger Zusammenhang zwischen den beiden Bilanzen, der sich im Prinzip der Maßgeblichkeit niederschlägt (Aufgabe 37 ff., 81, 229). In praxi existiert jedoch häufig eine Umkehrung des Maßgeblichkeitsprinzips (Aufgabe 40) bzw. eine Rückwirkung des Maßgeblichkeitsprinzips (Aufgabe 41 f.): Das Prinzip wird dadurch praktisch auf den Kopf gestellt, die steuerrechtlichen Vorschriften werden maßgeblich für die Handelsbilanz. Die Einhaltung der handelsrechtlichen Zielsetzung der Bilanz (Sicherer Einblick in die Vermögenslage) ist dadurch zumindest stark gefährdet (Aufgabe 43 ff.).

Bei der Erstellung der Bilanz sind grundsätzlich bei jedem einzelnen Posten zwei Fragen zu beantworten. Es ist zu entscheiden, ob der jeweilige Posten überhaupt eingestellt werden soll (Bilanzierung dem Grunde nach) (Aufgabe 50ff.) und wenn diese Frage bejaht wird, mit welchem Wert der Posten bilanziert wird (Bilanzierung der Höhe nach = Bewertung) (Aufgabe 77ff., besonders Kapitel III.). Die Bilanzierung dem Grunde nach hängt von der abstrakten Bilanzierungsfähigkeit (Aufgabe 52ff.) und von der konkreten Bilanzierungsfähigkeit (Aufgabe 59ff.) des jeweiligen Postens ab. In diesem Zusammenhang sind die Begriffe „Vermögensgegenstand", „Schulden", „positives und negatives Wirtschaftsgut" sowie „Bilanzierungspflicht, -wahlrecht, -verbot" von grundlegender Bedeutung. Schwierigkeiten bei der Bilanzierung machen die Positionen, die sich nur schwer oder überhaupt nicht in das Begriffsschema der Bilanzierungsfähigkeit einordnen lassen. Es handelt sich dabei um die Rückstellungen (Aufgabe 66ff., 176ff., 223ff.), die Rücklagen (Aufgabe 68, 72ff., 189ff.), die Rechnungsabgrenzungsposten (Aufgabe 69, 75f.) und die Wertberichtigungen (Aufgabe 70f.).
Der Bilanzierung der Höhe nach, also der Bewertung ist wegen ihrer zentralen Bedeutung ein besonderes Kapitel gewidmet (Kapitel III.). Im Rahmen der Grundlagen sind nur einige Bewertungsprinzipien zu klären, wie das generelle Prinzip der kaufmännischen Vorsicht (Aufgabe 77), aus dem eine Reihe von speziellen Bewertungsprinzipien abgeleitet wird, wie das Niederstwertprinzip für die Vermögensbewertung, das Höchstwertprinzip für die Schuldenbewertung und das Imparitätsprinzip (Durchbrechung des Realisationsprinzips) (Aufgabe 78ff.).
Der Jahresabschluß besteht aufgrund der doppelten Buchführung nicht nur aus der Bilanz, sondern auch aus der Gewinn- und Verlustrechnung (Aufgabe 82ff.). Auch bei der Erstellung der Gewinn- und Verlustrechnung sind verschiedene Prinzipien zu beachten (Aufgabe 83ff.). Schließlich gehört bei Unternehmen bestimmter Rechtsformen, Branchen oder Größenordnungen zum ordnungsmäßigen Jahresabschluß die Erstellung eines Geschäftsberichtes (Aufgabe 87ff.). Dieser dient im wesentlichen der Verwirklichung des Klarheitsprinzips.

Aufgabe 23:

Welche vier bzw. fünf Begriffspaare kennzeichnen die im Rechungswesen erfaßten Zahlungs- und Leistungsvorgänge?

Aufgabe 57:

Was ist unter dem steuerrechtlichen Begriff „positives Wirtschaftsgut" zu verstehen?

Lösung 23:

Auszahlung und Einzahlung, Ausgabe und Einnahme, Aufwand und Ertrag, Kosten und Leistung und im Steuerrecht Betriebsausgabe und Betriebseinnahme.

Anm. Die ersten beiden Begriffspaare werden häufig unter Ausgaben/Einnahmen zusammengefaßt.

Bei den Betriebsausgaben wird außerdem zwischen abzugsfähigen und nicht abzugsfähigen, bei den Betriebseinnahmen zwischen erfolgswirksamen und erfolgsunwirksamen unterschieden.

Lösung 57:

Der Begriff des „positiven Wirtschaftsgutes" wird von der Rechtsprechung ziemlich weit ausgelegt. Man versteht hierunter nicht nur Sachen und Rechte, sondern auch tatsächliche Zustände, konkrete Möglichkeiten und Vorteile für das Unternehmen, deren Erlangung sich der Kaufmann etwas kosten läßt und die nach der Verkehrsauffassung einer besonderen Bewertung zugänglich sind. Sie sind aktivierungsfähig, wenn ihre Nutzenabgabe sich über mehr als ein Wirtschaftsjahr erstreckt. Für die Aktivierung (und auch Passivierung) der Rechnungsabgrenzungsposten ist das Vorliegen der Wirtschaftsgut-Eigenschaft nach der Rechtsprechung nicht erforderlich.

Anm. § 5 EStG strebt eine Vereinheitlichung der Begriffe „positives Wirtschaftsgut" und „Vermögensgegenstand" an. Es erscheint jedoch wenig wahrscheinlich, daß die Rechtsprechung von der zweckbedingten sehr weiten Definition „Wirtschaftsgut" abgeht. Im Schrifttum hält die h.M. an der Identität der beiden Begriffe fest.

Aufgabe 24:

Welcher Zweck wird mit einer derart scharfen Differenzierung verfolgt?

Aufgabe 58:

Was ist unter dem steuerrechtlichen Begriff ,,negatives Wirtschaftsgut" zu verstehen?

Lösung 24:

Durch die genaue Trennung der einzelnen Größen wird der betriebliche Erfolg i.w.S. unter verschiedenen Aspekten charakterisiert: so etwa der liquiditätswirksame Zahlungsüberschuß, der Bilanzgewinn, das kalkulatorische Betriebsergebnis und der steuerpflichtige Gewinn.

Lösung 58:

Negative Wirtschaftsgüter sind selbständig bewertungsfähige wirtschaftliche Lasten. Auch dieser Begriff geht über den bürgerlich-rechtlichen der Schulden hinaus. Für die Passivierung genügt, daß der Bilanzierende ernsthaft mit einer Inanspruchnahme rechnen muß.
Anm. Darüberhinaus sind Eigenkapital und Rücklagen sowie Korrekturposten zu passivieren.

Aufgabe 25:

Besonders wichtig ist die Unterscheidung von Aufwand und Kosten bzw. Ertrag und Leistung. Aus welchen Gründen ist diese Trennung so wichtig?

Aufgabe 59:

Die abstrakte Bilanzierungsfähigkeit ist eine dem Gegenstand innewohnende Eigenschaft. Nach Prüfung der abstrakten Bilanzierungsfähigkeit ist noch zu prüfen, ob der Bilanzierung im Einzelfall nicht ein wirtschaftliches oder rechtliches Verbot entgegensteht. Welche Bilanzierungsverbote setzt das Handelsrecht?

Lösung 25:

Die Unterscheidung ist sachlicher Natur:

a) Kosten sind der bewertete Güter- und Leistungsverzehr, der ausschließlich durch die betriebliche Leistungserstellung und -verwertung verursacht wird.
Aufwand ist **jeder** bewertete Güter- und Leistungsverzehr einer Periode.
b) Die Bewertung der Kosten wird nach anderen Kriterien durchgeführt als die des Aufwandes.

In analoger Weise wird zwischen Leistung und Ertrag unterschieden.
Anm. Kosten, denen kein Aufwand gegenübersteht, werden Zusatzkosten genannt. Aufwand, dem keine Kosten entsprechen, wird neutraler Aufwand genannt.

Lösung 59:

Bilanzierungsverbot von...	**nach...**
Vermögensgegenständen, die dem Kaufmann nicht gehören. Diese Frage ist nach der tatsächlichen Verfügungsmacht zu beantworten (wirtschaftliche Betrachtungsweise)	§ 39 HGB
Rückstellungen für andere als im Gesetz genannte Fälle	§ 152 VII AktG
transitorischen i. w. S. und antizipativen Rechnungsabgrenzungsposten	§ 152 IX AktG
originären immateriellen Werten	§ 153 III, V AktG
Gründungs- und Kapitalbeschaffungskosten	§ 153 IV AktG
Organisations- und Verwaltungskosten sowie bestimmten Nachschußansprüchen	§ 42 II, III GmbHG
Gründungskosten und originärem Firmenwert	§ 33 c III, IV GenG

Aufgabe 26:

Die Unterscheidung zwischen Kosten und Aufwand läßt sich in einem Schema darstellen, das auf einer Skizze von Schmalenbach basiert. Wie sieht dieses Schema aus?

Aufgabe 60:

Welches Bilanzierungsverbote setzt das Steuerrecht?

Lösung 26:

1 betriebsfremder Aufwand
2 außerordentlicher Aufwand
3 bewertungsbedingter Aufwand
4 kalkulatorische Kosten, denen kein Aufwand entspricht
5 kalkulatorische Kosten zur Periodisierung aperiodisch eintretenden betriebsbedingten Wertverzehrs
6 kalkulatorische Kosten, soweit sie entsprechenden Aufwand übersteigen

Lösung 60:

Bilanzierungsverbot von ...	**nach ...**
nicht im »wirtschaftlichen Eigentum« des Unternehmers stehenden Wirtschaftsgütern	—
nicht zum (notwendigen oder gewillkürten) Betriebsvermögen gehörenden Wirtschaftsgütern	§ 4 I EStG
originären immateriellen Wirtschaftsgütern des Anlagevermögens	§ 5 II EStG
transitorischen i. w. S. und antizipativen Rechnungsabgrenzungskosten	§ 5 III EStG
sämtlichen im Handelsrecht genannten Fällen	Maßgeblichkeitsprinzip

Aufgabe 27:

Aus welchen Gründen ist die Unterscheidung von Ausgaben und Aufwand notwendig?

Aufgabe 61:

Sind Vermögensgegenstände bzw. Wirtschaftsgüter abstrakt bilanzierungsfähig und besteht kein Bilanzierungsverbot, sind sie also konkret bilanzierungsfähig, so ist zu entscheiden, ob Bilanzierungspflicht oder Bilanzierungswahlrecht vorliegt. Welche Bilanzierungspflichten kennt das Handelsrecht?

Lösung 27:

Die beiden Größen unterscheiden sich
a) sachlich, z. B. Privatentnahme (Ausgabe, kein Aufwand)
b) zeitlich z. B. Abschreibung (Aufwand, keine Ausgabe)
Anm. In analoger Weise wird zwischen Einnahme und Ertrag unterschieden.
Der zeitliche Unterschied (Periodenabgrenzung) ist besonders wichtig zur genauen Ermittlung des Periodenerfolgs.

Lösung 61:

Vorschriften zur Bilanzierungspflicht sind, sieht man von dem nur bedingt aussagefähigen Bilanzgliederungsschema des AktG ab, nur in den §§ 39 I, 40 II HGB enthalten. Daraus ist zu folgern, daß bei konkreter Bilanzierungsfähigkeit auch Bilanzierungs**pflicht** besteht, es sei denn, besondere gesetzliche Vorschriften räumen ausdrücklich ein Wahlrecht ein.
Anm. Für Vermögensgegenstände im Werte unter DM 100,– besteht aus Vereinfachungsgründen keine Aktivierungspflicht, ebensowenig für Vermögensgegenstände, für die zulässigerweise ein Festwert angesetzt und beibehalten wird.

Aufgabe 28:

Was versteht man unter den Grundsätzen ordnungsmäßiger Buchführung (GoB)?

Aufgabe 62:

Welche Bilanzierungspflichten kennt das Steuerrecht?

Lösung 28:

Der Begriff der GoB ist nicht gesetzlich fixiert. Man kann die GoB als einen somit unbestimmten Rechtsbegriff ansehen, dessen Sinngehalt im Wege der Rechtsfortbildung auszufüllen ist. Die Rechtsprechung füllt diesen Begriff denn auch vage mit dem Hinweis, die Ordnungsmäßigkeit sei nach dem, was das allgemeine Bewußtsein der anständigen und ordentlichen Kaufmannschaft darunter verstehe, zu beurteilen.
Anm. Die GoB i.w.S. können gegliedert werden in
GoB i.e.S., Grundsätze ordnungsmäßiger Inventur und
Grundsätze ordnungsmäßiger Bilanzierung

Lösung 62:

Außer in § 5 II,III EStG gibt es keine spezifischen steuerrechtlichen Vorschriften zur Bilanzierungspflicht. Die handelsrechtliche Bilanzierungspflicht gilt über das Maßgeblichkeitsprinzip auch für die Steuerbilanz. Weiter als das AktG fordert § 5 II EStG Aktivierungspflicht für derivative immaterielle Wirtschaftsgüter des Anlagevermögens, § 5 III EStG für transitorische Rechnungsabgrenzungsposten (wie das AktG).
Anm. Die z. T. (so auch vom BFH) vertretene Meinung, daß bei handelsrechtlicher Bilanzierungsfähigkeit steuerrechtlich Bilanzierungspflicht bestehe, ist umstritten.

Aufgabe 29:

Die GoB werden in materielle (den Inhalt betreffende) und formelle (den Aufbau betreffende) Grundsätze gegliedert. Welche Voraussetzungen sind jeweils für die materielle und die formelle Ordnungsmäßigkeit notwendigerweise einzuhalten?

Aufgabe 63:

Für die aufgezählten Vermögensgegenstände bzw. Wirtschaftsgüter ist zu entscheiden, ob sich Aktivierungspflicht, -wahlrecht oder -verbot aus den gesetzlichen Vorschriften ergibt:

	Handelsbilanz einer Aktiengesellschaft	Steuer-bilanz
entgeltlich erworbener Kundenstamm		
Ingangsetzungskosten		
originärer Firmenwert		
Anschaffungsnebenkosten		
aktive transitorische Rechnungs-abgrenzungsposten i. e. S.		
unentgeltlich erworbene Maschine		
Disagio		

Lösung 29:

Die materielle Ordnungsmäßigkeit ist gewahrt, wenn die Buchführung richtig und vollständig ist:

Verbot der Aufzeichnung von Geschäftsvorfällen, die nicht stattgefunden haben.

Verbot der falschen Aufzeichnung von Geschäftsvorfällen.

Gebot der Aufzeichnung aller Geschäftsvorfälle, die stattgefunden haben.

Gebot der vollständigen körperlichen Erfassung aller Vermögensgegenstände bei der Inventur.

Verbot der Aufzeichnung von Gegenständen bei der Inventur, die nicht vorhanden sind.

Gebot der richtigen (den Gesetzen entsprechenden) Bewertung.

Die formelle Ordnungsmäßigkeit ist erfüllt, wenn die Buchführung klar und übersichtlich ist:

Die Bücher sind fortlaufend und zeitnah in einer lebenden Sprache zu führen.

Die Bücher sollen gebunden sein, soweit es geschäftsüblich ist (heute ist die Lose-Blatt-Buchführung, die Lochkartenbuchführung und die Offene-Posten-Buchführung geschäftsüblich und damit zulässig).

Keine Buchung darf ohne Beleg erfolgen.

Die Belege sind systematisch aufzubewahren (6 Jahre).

Die Buchführung ist nach einem Kontenplan (Kontenrahmen) zu gliedern.

Das gewählte System der Buchführung (einfach, doppelt) ist einzuhalten.

Lösung 63:

	Handelsbilanz einer Aktiengesellschaft	Steuerbilanz
entgeltlich erworbener Kundenstamm	Wahlrecht	Pflicht
Ingangsetzungskosten	Wahlrecht	Verbot
originärer Firmenwert	Verbot	Verbot
Anschaffungsnebenkosten	Pflicht	Pflicht
aktive transitorische Rechnungsabgrenzungsposten i. e. S.	Pflicht	Pflicht
unentgeltlich erworbene Maschine	Wahlrecht	Pflicht
Disagio	Wahlrecht	Pflicht

Aufgabe 30:

Im Aktiengesetz ist eine Reihe von Rechnungslegungsvorschriften kodifiziert (§§ 148 ff. AktG). Diese haben Gesetzeskraft nur für die Aktiengesellschaften. Auf welchem Wege können diese Vorschriften auch für andere Unternehmensformen von Bedeutung sein?

Aufgabe 64:

Für die aufgezählten Vermögensgegenstände bzw. Wirtschaftsgüter ist zu entscheiden, ob sich Aktivierungspflicht, -wahlrecht oder -verbot aus den gesetzlichen Vorschriften ergibt:

	Handelsbilanz einer Aktiengesellschaft	Steuerbilanz
aktive antizipative Rechnungsabgrenzungsposten		
Herstellungskosten einer selbsterstellten Maschine:		
Fertigungsmaterial		
Materialgemeinkosten		
Fertigungslöhne		
Fertigungsgemeinkosten		
Verwaltungsgemeinkosten		
Vertriebskosten		

Lösung 30:

Werden die gesetzlichen Vorschriften des AktG zur Rechnungslegung allgemein als GoB anerkannt, so sind sie auch bei der Rechnungslegung in anderen Unternehmensformen zu beachten.
Anm. Die Rechnungslegungsvorschriften des AktG 1937 waren und sind allgemein als GoB anerkannt. Inwieweit dies auch für die Vorschriften des AktG 1965 zutrifft, ist bis heute nicht einheitlich geklärt. Die h.M. vertritt die Ansicht, das AktG 1965 enthalte allgemeine Vorschriften, die als GoB anzusehen sind und spezielle Vorschriften, die gemäß der besonderen Zielsetzung nur für Aktiengesellschaften zwingend sind. So ist insbesondere das „Fixwertprinzip" des § 153 I AktG 1965 als GoB umstritten. Die Vorschriften des AktG 1937 sind jedoch unbestritten weiterhin GoB.

Lösung 64:

	Handelsbilanz einer Aktiengesellschaft	Steuerbilanz
aktive antizipative Rechnungsabgrenzungsposten	Verbot	Verbot
Herstellungskosten einer selbsterstellten Maschine:		
Fertigungsmaterial	Pflicht	Pflicht
Materialgemeinkosten	Wahlrecht*	Pflicht
Fertigungslöhne	Pflicht	Pflicht
Fertigungsgemeinkosten	Wahlrecht*	Pflicht
Verwaltungsgemeinkosten	Wahlrecht	Wahlrecht
Vertriebskosten	Verbot	Verbot

*umstritten, ob Wahlrecht oder Pflicht

Aufgabe 31:

Neben den GoB i.e.S. sind bei der Bilanzierung besondere Bilanzierungsgrundsätze einzuhalten. Es sind dies die Grundsätze der Bilanzklarheit, der Bilanzwahrheit und der Bilanzkontinuität. Was ist darunter im einzelnen zu verstehen?

Aufgabe 65:

Für die aufgezählten Schulden bzw. negativen Wirtschaftsgüter ist zu entscheiden, ob sich Passivierungspflicht, -wahlrecht oder -verbot aus den gesetzlichen Vorschriften ergibt:

	Handelsbilanz einer Aktiengesellschaft	Steuerbilanz
passive antizipative Rechnungsabgrenzungsposten		
Rückstellung für unterlassene Instandhaltung (Inanspruchnahme im Februar des folgenden Jahres)		
steuerfreie Rücklage		
Rückstellung für Einkommensteuer		

Lösung 31:

Prinzip der Bilanzklarheit: Einhaltung einer dem Bilanzzweck entsprechenden Bilanzgliederung, scharfe inhaltliche Abgrenzung der Bilanzpositionen, Einhaltung des Bruttoprinzips (Verbot der Saldierung von Aktiv- und Passivpositionen).
Prinzip der Bilanzwahrheit: Dieses Prinzip beruht nach dem Wortlaut auf ethischen Werten. Es ist deshalb von seiner Absolutheit zu lösen und relativ zu sehen: Prinzip der Bilanzrichtigkeit. Eine Bilanz ist richtig, wenn sich Bezeichnung und Inhalt jeder Position decken, wenn die Positionen rechnerisch richtig sind und wenn die Bewertung der Zielsetzung der Bilanz und den rechtlichen Vorschriften entspricht.
Prinzip der Bilanzkontinuität: Dieses Prinzip ist ein Oberbegriff für

das Prinzip der Identität: Gleichheit von Schlußbilanz und Anfangsbilanz des folgenden Jahres

das Prinzip der formellen Kontinuität: Beibehaltung der Form aufeinander folgender Bilanzen

das Prinzip der materiellen Kontinuität: Gleichmäßigkeit der Bewertungsgrundsätze (Bewertungskontinuität) und Fortführung der Wertansätze (Wertfortführung).

Lösung 65:

	Handelsbilanz einer Aktiengesellschaft	Steuerbilanz
passive antizipative Rechnungsabgrenzungsposten	Verbot	Verbot
Rückstellung für unterlassene Instandhaltung (Inanspruchnahme im Februar des folgenden Jahres)	Wahlrecht	Wahlrecht
steuerfreie Rücklage	Wahlrecht	Wahlrecht
Rückstellung für Einkommensteuer	Verbot	Verbot

Aufgabe 32:

Das Prinzip der Bilanzidentität ist für die Steuerbilanz von besonderer Bedeutung. Die Einhaltung dieses Ordnungsmäßigkeitsgrundsatzes wird mit der „Zweischneidigkeit der Bilanz" begründet. Was ist darunter zu verstehen?

Aufgabe 66:

Was ist unter dem Begriff der Rückstellungen zu verstehen?

Lösung 32:

Die „Zweischneidigkeit der Bilanz" besteht darin, daß höhere oder niedrigere Wertansätze in einem Wirtschaftsjahr sich im folgenden (in den folgenden) Wirtschaftsjahr entgegengesetzt auf den Gewinn auswirken, so daß durch Bewertungsvorschriften, die einen Ermessensspielraum einräumen, nur Gewinn**verlagerungen** möglich werden. Der Totalgewinn des Unternehmens bleibt unverändert.

Lösung 66:

Rückstellungen sind Passivpositionen, die die Aufgaben haben, Aufwendungen, die erst in einer späteren Periode zu einer in ihrer Höhe am Bilanzstichtag noch nicht feststehenden Ausgabe oder Mindereinnahme führen, der Periode ihrer Verursachung zuzurechnen.

Aufgabe 33:

Eine Maschine wird mit DM 10.000,— aktiviert (Nutzungsdauer 5 Jahre). Wie wirkt sich die „Zweischneidigkeit der Bilanz" auf die Periodengewinne und auf den Totalgewinn aus, wenn statt linearer Abschreibung im ersten Jahr 75 % abgeschrieben werden (z. B. nach § 14 I BFG)?

Aufgabe 67:

Der Umfang des Rückstellungsbegriffes hängt davon ab, ob mit der Bilanz eine statische oder eine dynamische Zielsetzung verfolgt wird. Welche Aufgabe wird den Rückstellungen nach statischer und welche nach dynamischer Auffassung zugewiesen?

Lösung 33:

Jahr	lineare Abschreibung	Sonder-abschreibung	Gewinn-änderung
1	2 000	7 500	− 5 500
2	2 000	625	+ 1 375
3	2 000	625	+ 1 375
4	2 000	625	+ 1 375
5	2 000	625	+ 1 375
Sa.	10 000	10 000	–,–

Die Gewinnminderung des ersten Jahres wird durch Erhöhungen der folgenden Jahre wieder ausgeglichen. Der Totalgewinn bleibt unverändert.

Lösung 67:

Statische Betrachtungsweise: Die Rückstellung hat die Aufgabe, einen vollständigen Schuldenausweis zu ermöglichen. Es sollen auch Schulden passiviert werden, die nach Grund, Höhe und/oder Termin nicht genau feststehen.
Dynamische Betrachtungsweise: Die Rückstellung hat die Aufgabe der periodengerechten Erfolgsabgrenzung. Damit umfaßt sie nicht nur Verpflichtungen gegenüber Dritten, sondern auch Aufwendungen und drohende Verluste ohne Inanspruchnahme durch Dritte (wirtschaftliche Verpflichtung des Unternehmens gegen sich selbst).

Aufgabe 34:

Ein Unternehmer wechselt aus bilanzpolitischen Gründen von Jahr zu Jahr seine Abschreibungsmethoden. Ist dies möglich?

Aufgabe 68:

Was ist unter dem Begriff der Rücklagen zu verstehen?

Lösung 34:

Ein willkürlicher, also wirtschaftlich nicht zu begründender Wechsel der Abschreibungsmethoden verstößt gegen das Prinzip der Bewertungskontinuität. Dieses Vorgehen ist deshalb nicht zulässig.
Anm. Ein erlaubter Wechsel liegt vor, wenn von der degressiven Abschreibung auf die lineare Abschreibung übergegangen wird. Dieser Übergang ist notwendig, um etwa bei geometrisch-degressiver Abschreibung einen Restwert von Null zu erreichen (in § 7 III EStG für die Steuerbilanz kodifiziert). In umgekehrter Richtung ist ein Wechsel nicht erlaubt.

Lösung 68:

Rücklagen sind (im allgemeinen nicht zweckgebundenes) Eigenkapital, das

a) nicht auf den Kapitalkonten, sondern auf gesonderten Rücklagekonten ausgewiesen wird,
b) oder überhaupt nicht in der Bilanz in Erscheinung tritt,
c) oder in überhöhten Fremdkapitalpositionen versteckt ist.

Anm. Neben diesen bilanziellen Rücklagen (Kapitalrücklagen) bezeichnet man auch Vermögensteile, die eine Reserve darstellen sollen, als Rücklage (Vermögensrücklage).

Aufgabe 35:

Das Prinzip der Wertfortführung (Prinzip des Wertzusammenhanges) ist in Handels- und Steuerbilanz unterschiedlich streng ausgeprägt. Wie lassen sich diese Unterschiede systematisch darstellen?

Aufgabe 69:

Was ist unter dem Begriff der Rechnungsabgrenzungsposten zu verstehen?

Lösung 35:

Handelsbilanz	Das Prinzip der Wertfortführung kann bei wirtschaftlicher Begründung durchbrochen werden. Eine Wertaufholung ist jedoch nur bis maximal zu den AHK möglich.
Steuerbilanz	
abnutzbare Güter des Anlagevermögens	strenge Einhaltung des Prinzips der Wertfortführung
nicht abnutzbare Güter des Anlagevermögens und Umlaufvermögen	Regelung wie in der Handelsbilanz

Lösung 69:

Rechnungsabgrenzungsposten sind aktive oder passive Korrekturpositionen, die die Aufgabe haben, umfangmäßig und terminmäßig feststehende Ausgaben bzw. Einnahmen periodengerecht von den entsprechenden Aufwendungen bzw. Erträgen zu trennen.

Aufgabe 36:

Welche Absicht verfolgt der Steuergesetzgeber mit der Vorschrift der strengen Wertfortführung nur für die abnutzbaren Güter des Anlagevermögens?

Aufgabe 70:

Was ist unter dem Begriff der Wertberichtigungen zu verstehen?

Lösung 36:

Durch diese Vorschrift soll verhindert werden, daß das Unternehmen von dem zulässigen Ermessensspielraum bei den Wertansätzen beliebigen Gebrauch macht. Damit hätte das Unternehmen die Möglichkeit, in Gewinnjahren durch möglichst hohe Abschreibungen den Gewinn zu mindern und in Verlustjahren durch Wertaufholung die Bewertungsverluste des anderen Jahres gewinnwirksam rückgängig zu machen. Durch diese Verlagerung von Gewinnen können dem Fiskus (bei progressiven Steuertarifen, z. B. ESt) Steuereinnahmen entzogen werden.
Anm. Bei den nichtabnutzbaren Gütern des Anlagevermögens ist eine Teilwertabschreibung bzw. eine Wertaufholung erheblich schwieriger wirtschaftlich zu begründen; Güter des Umlaufvermögens (Vorräte) verbleiben sehr viel kürzere Zeit im Unternehmen (meist weniger als ein Jahr), so daß die Vorräte an zwei aufeinander folgenden Wirtschaftsjahren selten identisch sind. Außerdem wirkt die Zweischneidigkeit der Bilanz wegen der höheren Umschlagshäufigkeit beim Umlaufvermögen erheblich schneller, die Gefahr langfristiger Gewinnverlagerungen ist in diesen Positionen also geringer.

Lösung 70:

Wertberichtigungen sind Passivpositionen, die der wertmäßigen Korrektur des Vermögens dienen.
Anm. Wertberichtigungen sind indirekte Abschreibungen. Während sie auf der Passivseite ausgewiesen werden, werden direkte Abschreibungen in der Vorspalte zum Vermögen dargestellt.

Aufgabe 37:

Das Prinzip der Maßgeblichkeit (der Handelsbilanz für die Steuerbilanz) ist von großer theoretischer und praktischer Bedeutung für die Bilanzierung. Was ist darunter zu verstehen?

Aufgabe 71:

Folgende Vorfälle sind in die Gruppen: Rückstellung, Rücklage, Rechnungsabgrenzungsposten und Wertberichtigung einzuordnen!

	Position
Es wird am Bilanzstichtag damit gerechnet, daß im nächsten Jahr noch Gewerbesteuer nachzuzahlen ist.	
Es wird erwartet, daß ein bestimmter Teil der Forderungen notleidend wird.	
Eine Rückstellung ist willkürlich zu hoch angesetzt worden.	
Im November wurde Kfz-Steuer für den Zeitraum November/November vorausbezahlt.	
Es soll ein Teil des Bilanzgewinns zur Finanzierung eines neuen Fabrikgebäudes im Unternehmen zurückbehalten werden.	
Es ist beabsichtigt, im Februar des folgenden Jahres eine Generalüberholung des Fuhrparks durchzuführen, die an sich schon im Dezember fällig gewesen wäre.	

Lösung 37:

Die Steuerbilanz ist nach dem Willen des Gesetzgebers grundsätzlich als eine aus der Handelsbilanz abgeleitete Bilanz zu verstehen. Daraus ergibt sich das Maßgeblichkeitsprinzip: Die handelsrechtlichen Bilanzierungsvorschriften sind für die Steuerbilanz verbindlich, es sei denn, daß steuerliche Vorschriften eine andere bilanzielle Behandlung **erzwingen**.
Anm. Das Maßgeblichkeitsprinzip ist rechtlich in § 5 I EStG kodifiziert. Es bezieht sich nicht nur auf die Bilanz als Ganzes, sondern auch auf jede einzelne Bilanzposition.

Lösung 71:

	Position
Es wird am Bilanzstichtag damit gerechnet, daß im nächsten Jahr noch Gewerbesteuer nachzuzahlen ist.	Rückstellung
Es wird erwartet, daß ein bestimmter Teil der Forderungen notleidend wird.	Wertberichtigung
Eine Rückstellung ist willkürlich zu hoch angesetzt worden.	Rücklage
Im November wurde Kfz-Steuer für den Zeitraum November/November vorausbezahlt.	Rechnungsabgrenzung
Es soll ein Teil des Bilanzgewinns zur Finanzierung eines neuen Fabrikgebäudes im Unternehmen zurückbehalten werden.	Rücklage
Es ist beabsichtigt, im Februar des folgenden Jahres eine Generalüberholung des Fuhrparks durchzuführen, die an sich schon im Dezember fällig gewesen wäre.	Rückstellung

Aufgabe 38:

Aus welchem Grund kann es zu Kollisionen bei der handels- und steuerrechtlichen Behandlung bilanzieller Fragen kommen?

Aufgabe 72:

Wie lassen sich die (passiven Kapital-)Rücklagen systematisieren?

Lösung 38:

Der Grund liegt darin, daß nach dem Maßgeblichkeitsprinzip handels- und steuerbilanzielle Fragen gleich behandelt werden sollen, obwohl beide Bilanzen eine unterschiedliche Zielsetzung verfolgen.
So führt die handelsrechtliche Zielsetzung des Gläubigerschutzes über das Prinzip der Vorsicht bzw. das Prinzip der Imparität zu einem sehr vorsichtigen Gewinnausweis. Dieser Gewinn liegt oft sehr viel niedriger als der betriebswirtschaftlich richtige Gewinn (Bildung stiller Rücklagen = Schutzfunktion). Die Steuerbilanz dagegen soll einen möglichst periodengerechten Gewinn ausweisen, der die Bemessungsgrundlage der Ertragsbesteuerung bildet. Die Bildung stiller Rücklagen ist dementsprechend einzuschränken.

Lösung 72:

- Rücklagen
  - offene Rücklagen
    - gesetzliche Rücklagen
    - freie Rücklagen
    - statutarische Rücklagen
    - steuerfreie Rücklagen
  - stille Rücklagen i.w.S.
    - stille Rücklagen i.e.S.
    - versteckte Rücklagen

Aufgabe 39:

In den §§ 6 ff. EStG sind für die Bewertung in der Steuerbilanz eigene umfassende Bewertungsvorschriften aufgestellt. Diese weichen z. T. von den handelsrechtlichen Bewertungsvorschriften ab. Welche Wirkung haben diese Vorschriften auf das Maßgeblichkeitsprinzip?

Aufgabe 73:

Wodurch unterscheiden sich die steuerfreien Rücklagen grundsätzlich von den sonstigen offenen Rücklagen?

Lösung 39:

Da für die Steuerbilanz eigene zwingende Bewertungsvorschriften existieren, haben diese ex lege für die Steuerbilanz Vorrang vor dem Maßgeblichkeitsprinzip. Das Maßgeblichkeitsprinzip ist also insoweit außer Kraft gesetzt.
Anm. Das Maßgeblichkeitsprinzip hat weitgehend praktische Bedeutung für den formellen Aufbau der Bilanz; für die Bilanzierung dem Grunde nach ist es z. T. außer Kraft gesetzt und für die Bilanzierung der Höhe nach (Bewertung) hat es fast vollständig seine Wirkung verloren.

Lösung 73:

Versteuerungszeitpunkt:
Die offenen Rücklagen werden aus dem versteuerten Gewinn gebildet. Bei der Auflösung dieser Rücklagen fallen keine steuerpflichtigen Erträge an. Die steuerfreien Rücklagen werden aus dem unversteuerten Gewinn gebildet. Eine Besteuerung greift erst bei oder nach der Auflösung dieser Rücklagen durch.

Eigenschaft:
Die offenen Rücklagen stellen in vollem Umfang Eigenkapital dar.
Die steuerfreien Rücklagen enthalten Fremdkapitalanteile (noch zu zahlende Steuern) (vgl. auch die aktienrechtliche Bezeichnung „Sonderposten mit Rücklageanteil").

Aufgabe 40:

Kleinere Unternehmen stellen häufig aus Gründen der Arbeitsersparnis nur eine Bilanz auf, die gleichzeitig Handels- und Steuerbilanz darstellt. Welche praktischen Folgen ergeben sich für die Bewertung in dieser (dualen) Bilanz?

Aufgabe 74:

Wodurch unterscheiden sich die steuerfreien Rücklagen grundsätzlich von den stillen Rücklagen?

Lösung 40:

Da die steuerrechtlichen Bewertungsvorschriften sehr spezifiziert (und enger) sind als die handelsrechtlichen Vorschriften, kommt es zu einer „Umkehrung des Maßgeblichkeitsprinzips". Die Handelsbilanz wird nach steuerrechtlichen Vorschriften erstellt: Ihre Zielerreichung (besonders der sichere Einblick in die Vermögenslage) ist dadurch erheblich eingeschränkt.

Lösung 74:

Steuerfreie Rücklagen sind offene Rücklagen, sie werden also in der Bilanz ausdrücklich ausgewiesen. Stille Rücklagen erscheinen nicht in der Bilanz oder sie verstecken sich hinter anderen (passiven Fremdkapital-) Bezeichnungen.

Anm. In ihrer steuerlichen Wirkung sind beide Rücklagearten ähnlich. Sie werden aus dem unversteuerten Gewinn gebildet und sind erst bei oder nach Auflösung steuerwirksam. Die Bildung und Auflösung steuerfreier Rücklagen ist aber gesetzlich genau fixiert (EStG, EStDV u. a.).

Aufgabe 41:

Auch wenn – wie bei einer Aktiengesellschaft – eine Handels- **und** eine Steuerbilanz aufgestellt werden, beeinflussen die steuerrechtlichen Bewertungsvorschriften die Wertansätze in der Handelsbilanz („Rückwirkung des Maßgeblichkeitsprinzips"). Dies ergibt sich aus dem Wortlaut der Gesetze (AktG, EStG). Welche Beispiele lassen sich dafür nennen?

Aufgabe 75:

Wie lassen sich die Rechnungsabgrenzungsposten systematisieren?

Lösung 41

Die steuerlichen Gesetze, Rechtsprechung und Verwaltung fordern in vielen Fällen als Voraussetzung der Inanspruchnahme steuerlicher Präferenzen eine konforme Bilanzierung und Bewertung in der Handelsbilanz.
So etwa § 6b EStG: Die sog. steuerfreie Übertragung stiller Reserven ist nur möglich, wenn sie auch in der Handelsbilanz durchgeführt wird.
§ 14 I BFG: Die erhöhten Absetzungen müssen in die Handelsbilanz übernommen werden.
§§ 154 II, 155 III AktG lassen den Ansatz steuerlich zulässiger niedrigerer Werte für die Bilanz der Aktiengesellschaft ausdrücklich zu.
Anm. Die (steuerfreie) Rücklage für Preissteigerungen **kann** z. B. ausschließlich in der Steuerbilanz gebildet werden.

Lösung 75:

Nach der Bilanzseite: aktive und passive Rechnungsabgrenzung
Nach der Abgrenzungsrichtung: antizipative und transitorische Abgrenzung.

Anm.

	aktiv	**passiv**
transitorisch	Ausgabe jetzt, Aufwand später	Einnahme jetzt, Ertrag später
antizipativ	Ertrag jetzt, Einnahme später	Aufwand jetzt, Ausgabe später

Aufgabe 42:

Wieso ist im AktG 1965 eine Vorschrift notwendig, die den Ansatz niedrigerer steuerlicher Werte zuläßt (§§ 154 II, 155 III AktG)? Im AktG 1937 existiert eine derartige Vorschrift nicht!

Aufgabe 76:

Was besagt das AktG über die Zulässigkeit der Rechnungsabgrenzungsposten?
Anm. Im Steuerrecht ist die Zulässigkeit in gleicher Weise geregelt.

Lösung 42:

Das AktG 1937 beinhaltet nur Höchstwertvorschriften für die Bewertung der Aktiven. Wertuntergrenzen sind nicht gesetzt. Das AktG 1965 enthält dagegen auch Untergrenzen (planmäßige Abschreibung, möglichst sicherer Einblick in die Vermögenslage). Nach dem AktG 1937 konnte also jeder beliebige Wert (bis DM 1,–) angesetzt werden, also auch ein niedrigerer steuerlicher Wert. Dies wäre nach dem „Fixwertprinzip" des AktG 1965 nicht möglich, gäbe es nicht genannte Vorschriften.

Lösung 76:

		Bilanzierung
transitorische Rechnungsabgrenzungsposten	i.e.S.	Pflicht
	i.w.S.	Verbot
antizipative Rechnungsabgrenzungsposten		Pflicht, aber als Forderungen bzw. Verbindlichkeiten oder Rückstellungen

Anm. Transitorische Rechnungsabgrenzungsposten i.e.S. sind solche, bei denen der Aufwand bzw. der Ertrag der späteren Periode sich auf einen bestimmten Zeitraum bezieht.

Aufgabe 43:

Die verschiedenen Bilanzen unterscheiden sich nach Zielsetzung, Interessentenkreis und gesetzlicher Grundlage. Wie kann man diese Unterschiede skizzieren?

	interne Bilanz	Handelsbilanz einer AG	Steuerbilanz	(externe) Konzernbilanz
Welche Zielsetzung wird verfolgt?				
An welche Interessenten richtet sich die Bilanz?				
Welche Gesetze sind zu beachten?				

Aufgabe 77:

Die Bewertung in der Handelsbilanz wird vom Prinzip der kaufmännischen Vorsicht bestimmt. Aus diesem Prinzip lassen sich bei der Bewertung der einzelnen Bilanzpositionen sogenannte Bewertungsgrundsätze ableiten. Um welche handelt es sich?

Lösung 43:

	interne Bilanz	Handelsbilanz einer AG	Steuerbilanz	(externe) Konzernbilanz
Welche Zielsetzung wird verfolgt?	betriebsinterne Selbstinformation, Disposition und Kontrolle	im Rahmen der Bewertungsvorschriften einen möglichst sicheren Einblick in die Vermögenslage zu geben	Ermittlung des Periodengewinns als Bemessungsgrundlage der Ertragsteuern, konjunktur- und wirtschaftspolitische Ziele	wie Handelsbilanz
An welche Interessenten richtet sich die Bilanz?	Geschäftsführung	Aktionäre Vorstand Aufsichtsrat Gläubiger Arbeitnehmer Öffentlichkeit	Finanzverwaltung	wie Handelsbilanz
Welche Gesetze sind zu beachten?	—	HGB AktG	EStG EStDV	wie Handelsbilanz

Lösung 77:

Aus dem Prinzip der kaufmännischen Vorsicht lassen sich folgende Bewertungsgrundsätze ableiten:

Realisationsprinzip
Niederstwertprinzip bei der Aktivbewertung
Höchstwertprinzip bei der Passivbewertung

Aufgabe 44:

Was wird in den Gesetzen (HGB, AktG, EStG, EStDV) bezüglich der Bilanzierung im wesentlichen geregelt?

Aufgabe 78:

Was ist unter dem Realisationsprinzip, dem Niederstwert- und dem Höchstwertprinzip zu verstehen?

Lösung 44:

Aktivierungs- bzw. Passivierungspflichten, -wahlrechte und -verbote
Bewertung
Gliederung

Lösung 78:

Das Realisationsprinzip verlangt, daß Gewinne und Verluste erst dann ausgewiesen werden, wenn sie durch den Umsatzprozeß realisiert sind.
Das Niederstwertprinzip besagt, daß von mehreren möglichen Wertansätzen jeweils der niedrigste angesetzt werden muß oder darf.
Das Höchstwertprinzip besagt, daß von mehreren möglichen Wertansätzen jeweils der höchste angesetzt werden muß oder darf.

Aufgabe 45:

Welche Hauptinteressenten an den Bilanzen (bzw. an dem Unternehmen) will der Gesetzgeber wovor schützen und mit Hilfe welcher Mittel soll dies erreicht werden (Aktiengesellschaft)?

Schutz der ...	vor ...	durch ...

Aufgabe 79:

Die Anwendung der Prinzipien (Realisation, Niederstwert, Höchstwert) ist bestimmt durch das Imparitätsprinzip. Welche der genannten Bewertungsprinzipien greifen danach im einzelnen durch?

Lösung 45:

Schutz der...	vor...	durch...
Gläubiger	falschen Informationen über die Vermögens- (und Ertrags-)lage	Buchführungspflicht Publizitätspflicht Bewertungsgrenzen Ausschüttungsverbote
Gesellschafter	falschen Informationen über die Vermögens- (und Ertrags-)lage Gewinnverschiebung	Buchführungspflicht Publizitätspflicht Bewertungsgrenzen Vorschriften über Gewinnermittlung und -verteilung
Finanzverwaltung	falschen Informationen über die Bemessungsgrundlage der Ertragsteuern einer Periode	steuerrechtliche Bilanzierungs- und Bewertungsvorschriften Kontrolle von Gewinnverlagerungen
Belegschaft	plötzlichem wirtschaftlichem Zusammenbruch	Buchführungspflicht Publizitätspflicht Bewertungsgrenzen Ausschüttungsverbote

Lösung 79:

Das Imparitätsprinzip stellt eine Durchbrechung des Realisationsprinzips für Verluste dar. Noch nicht durch Umsatz realisierte Verluste müssen oder dürfen berücksichtigt werden. Daraus folgt im einzelnen:

a) Noch nicht durch Umsatz realisierte Gewinne dürfen nicht ausgewiesen werden: Das Realisationsprinzip, das Niederstwertprinzip (Aktiva) und das Höchstwertprinzip (Passiva) decken sich.

b) Noch nicht durch Umsatz realisierte Verluste müssen oder dürfen berücksichtigt werden: Das Realisationsprinzip gilt nicht, wohl aber das Niederstwert- bzw. das Höchstwertprinzip.

Aufgabe 46:

In § 151 I AktG ist die Mindestgliederung der Bilanz dargestellt. Lassen sich in dieser Gliederung Ordnungsprinzipien erkennen?

Aufgabe 80:

Noch nicht realisierte Verluste müssen oder dürfen berücksichtigt werden. Aus dieser Formulierung ergibt sich für das Niederstwertprinzip ein gewisser Anwendungsspielraum. Mit welchen Stichworten läßt sich dieser beschreiben?

Lösung 46:

Das aktienrechtliche Bilanzgliederungsschema ist grundsätzlich nach der Fristigkeit gegliedert: Die Vermögenspositionen sind in der Reihenfolge vom schwer liquidierbaren Anlagevermögen bis zu den liquiden Mitteln geordnet, die Kapitalpositionen vom langfristig zur Verfügung stehenden Grundkapital bis zu den kurzfristig fälligen Verbindlichkeiten.
Daneben sind aber auch andere Gliederungskriterien erkennbar. So ist etwa das Umlaufvermögen teilweise nach dem Kriterium der Nähe zum Betriebsprozeß gegliedert. Im übrigen enthält sowohl die Aktivseite als auch die Passivseite Korrekturposten, die sich in kein Schema einfügen lassen.

Lösung 80:

Müssen noch nicht realisierte Verluste bei der Bewertung der Aktiva berücksichtigt werden, so gilt das Niederstwertprinzip uneingeschränkt (strenges Niederstwertprinzip).
Dürfen noch nicht realisierte Verluste bei der Bewertung der Aktiva berücksichtigt werden, so gilt das Niederstwertprinzip nur insoweit, als zwischen dem Ansatz des niedrigsten Wertes und dem eines anderen Wertes gewählt werden kann (gemildertes Niederstwertprinzip).
Anm. Die dargestellte Differenzierung gilt in analoger Form auch für das Höchstwertprinzip bei der Bewertung der Passiva.

Aufgabe 47:

In der Begründung zum Regierungsentwurf des AktG 1965 heißt es, durch das Gliederungsschema sei ein besserer Einblick in die Liquiditätslage der Gesellschaft gegeben. Demgegenüber meint das Institut der Wirtschaftsprüfer, die Liquidität lasse sich aus einer Bilanz überhaupt nicht eindeutig ablesen. Welcher Auffassung ist eher zu folgen?

Aufgabe 81:

Wie ist die Gültigkeit der handelsrechtlichen Bewertungsprinzipien für die Steuerbilanz zu beurteilen?

Lösung 47:

Da die Bilanzpositionen grundsätzlich Residualgrößen (Bestandsgrößen) aus einer Aufwands-/Ertragsrechnung sind, die Liquidität aber in einem zeitlichen und quantitativen Gleichgewicht von Einnahmen/Ausgaben zu sehen ist, kann eine Bilanz grundsätzlich keine Aussagen über den Grad der Liquidität machen. Darüberhinaus sind die Bilanzgrößen zeitpunktbezogen, während die Liquidität zeitraumbezogen ist. Schließlich ist die Bilanz eine Vergangenheitsrechnung, die Liquidität aber in die Zukunft gerichtet.
Mit Hilfe einer oder mehrerer Bilanzen lassen sich bestenfalls Vermutungen über die Liquiditätslage der Gesellschaft machen.

Lösung 81:

Da die Steuerbilanz prinzipiell aus der Handelsbilanz abgeleitet wird, gelten die Bewertungsgrundsätze des Handelsrechts auch in der Steuerbilanz. Darüberhinaus wird dies auch durch die steuerrechtlichen Bewertungsgrundsätze dokumentiert: Erwartete Wertminderungen, auch wenn sie nicht durch Umsatz realisiert sind, können durch Ansatz des niedrigeren Teilwertes berücksichtigt werden. Nicht realisierte Wertsteigerungen bleiben weithin unbeachtet.
Anm. Der Anwendungsbereich der genannten Bewertungsgrundsätze ist in der Steuerbilanz jedoch stärker eingeschränkt als in der Handelsbilanz, da beide unterschiedliche Zielsetzungen verfolgen.

Aufgabe 48:

In der aktienrechtlichen Gliederung sind die Verbindlichkeiten gegliedert in solche mit einer Laufzeit von mindestens 4 Jahren und in andere Verbindlichkeiten. Wie ist die liquiditätsmäßige Aussagekraft dieser fristgemäßen Trennung zu beurteilen?

Aufgabe 82:

Auf Grund der doppelten Buchführung besteht der Jahresabschluß nicht nur aus der Bilanz, sondern (automatisch) auch aus einer GuV. Welche grundsätzliche Bedeutung kommt der handelsrechtlichen GuV zu?

Lösung 48:

Grundsätzlich zeigt die fristgemäße Aufteilung der finanziellen Verpflichtungen der Gesellschaft, zu welchen Zeitpunkten liquide Mittel vorhanden sein müssen. Wesentlich dafür ist aber die Kenntnis der **Rest**laufzeit. Diese liquiditätsrelevante Größe geht aus der Aktienbilanz aber nicht hervor. So können bei den kurzfristigen Verbindlichkeiten u. U. längere Restlaufzeiten bestehen als bei den langfristigen Verbindlichkeiten.

Lösung 82:

Der Jahresabschluß soll (auch) einen sicheren Einblick in die Erfolgslage des Unternehmens gewähren. Die Bilanz zeigt den Erfolg gewöhnlich nur in einer Summe (Bilanzgewinn/-verlust). Die GuV soll hingegen weitere Einblicke in das Zustandekommen des Erfolges gewähren: Sie soll insbesondere die Quellen des Erfolges aufzeigen (betriebliche Umsätze, außerordentliche Erträge u. ä.).
Anm. Nach dem Steuerrecht wird der steuerpflichtige Gewinn durch Vermögensvergleich ermittelt. Weitere Einblicke in das Zustandekommen dieses Gewinnes sind i. d. R. nicht erforderlich.

Aufgabe 49:

Zur Gewinnung von Liquiditätsaussagen werden häufig sog. Liquiditätskennzahlen durch Gegenüberstellung bestimmter Aktiv- und Passivposten gebildet (so besonders die Liquidität 1., 2. und 3. Grades). Was ist zum Aussagewert dieser Kennzahlen zu sagen?

Aufgabe 83:

Welches sind die Grundprinzipien, nach denen eine GuV aufgebaut werden kann?

Lösung 49:

Der Aussagewert dieser Kennzahlen ist gering. Sie zeigen nur die Dekkungsverhältnisse am (historischen) Bilanz**stichtag.** Diese Stichtagsliquidität läßt sich außerdem relativ leicht mit Hilfe bilanzpolitischer Mittel manipulieren.
Durch den Vergleich dieser Zahlen mit Richtzahlen (Branchenvergleich) oder mit früheren Zahlen (Zeitvergleich) lassen sich gewisse liquiditätsmäßige Verhältnisse vermuten.
Anm. Allein die Existenz des Unternehmens am Tag der Liquiditätsanalyse zeigt, daß es am Bilanzstichtag liquide gewesen sein muß, sonst würde es nicht mehr existieren. Insofern sind die Aussagen der Bilanz-Liquiditätskennzahlen in gewisser Weise trivial.

Lösung 83:

Konto- oder Staffelform: Die Darstellung der GuV kann in Form eines Kontos oder in Form einer Liste durchgeführt werden.
Brutto- oder Nettoausweis: Aufwands- und Ertragsteile können mehr (Nettoprinzip) oder weniger (Bruttoprinzip) saldiert ausgewiesen werden.
Produktions- oder Umsatzrechnung: Die GuV weist auf der Ertragsseite nur den Umsatzerlös (Umsatzrechnung) oder den Gesamterfolg (Produktionsrechnung) aus.
Erfolgsspaltung: Der Gesamterfolg des Unternehmens wird mehr oder weniger nach den Quellen seines Zustandekommens (Betriebserfolg, neutraler Erfolg) getrennt ausgewiesen.

Aufgabe 50:

Bei der Bilanzierung treten im wesentlichen zwei materielle Probleme bei jeder Bilanzposition auf. Welche sind dies?

Aufgabe 84:

Welche Stellung nimmt das AktG zu den genannten Prinzipien ein?

Lösung 50:

Es ist zu entscheiden, ob die betreffende Position überhaupt in die Bilanz eingestellt werden soll (Bilanzierung dem Grunde nach) und wenn diese Frage positiv beantwortet ist, mit welchem Wert die Position bilanziert werden soll (Bilanzierung der Höhe nach).
Anm. In der Praxis ist häufig schwer zu entscheiden, ob in einzelnen Fällen eine Bilanzierungsfrage oder eine Bewertungsfrage vorliegt (z. B. bei dem Problem der „geringwertigen Wirtschaftsgüter"). Allerdings ist es auch selten notwendig, diese Frage zu lösen.

Lösung 84:

Das AktG verlangt zwingend die Staffelform (§ 157 AktG); auf Grund der zwingenden Gliederung läßt sich erkennen, daß das Bruttoprinzip, die Produktionsrechnung und die Erfolgsspaltung weitgehend durchgeführt werden.

Aufgabe 51:

Bei der Entscheidung „Bilanzierung dem Grunde nach“ kann man zu drei Ergebnissen kommen. Welche sind dies?

Aufgabe 85:

Aus den folgenden Positionen ist eine GuV nach den aktienrechtlichen Vorschriften aufzustellen:

Umsatzerlöse	200
Löhne und Gehälter	50
Abschreibungen	20
Zinsaufwand	5
Steuern	80
Aufwendungen für Rohstoffe	30
Bestandserhöhung der Fertigfabrikate	50
Entnahme aus freien Rücklagen	10

Lösung 51:

Eine Bilanzierung **muß** vorgenommen werden (Bilanzierungspflicht).
Eine Bilanzierung **darf** vorgenommen werden (Bilanzierungswahlrecht).
Eine Bilanzierung **darf nicht** vorgenommen werden (Bilanzierungsverbot).

Lösung 85:

Umsatzerlöse		200
Bestandserhöhung der Fertigfabrikate		50
Gesamtleistung		250
Aufwendungen für Rohstoffe		30
Rohertrag		220
Löhne und Gehälter	50	
Abschreibungen	20	
Zinsaufwand	5	
Steuern	80	155
Jahresüberschuß		65
Entnahme aus freien Rücklagen		10
Bilanzgewinn		75

Aufgabe 52:

Die Bilanzierung dem Grunde nach setzt die Bilanzierungsfähigkeit eines Gegenstandes (i. w. S.) voraus. Welche Schritte sind zur Klärung dieser Frage notwendig?

Aufgabe 86:

Nach betriebswirtschaftlichen Kriterien kommt der Größe „betriebswirtschaftlicher Periodenerfolg" die größte Bedeutung zu. Wie ist aus dieser Sicht die Aussagekraft der Größen: Bilanzgewinn, Jahresüberschuß und Rohertrag zu beurteilen?

Lösung 52:

Zuerst ist zu entscheiden, ob der Gegenstand abstrakt bilanzierungsfähig ist. Ist die abstrakte Bilanzierungsfähigkeit bejaht, so ist zu untersuchen, ob der Gegenstand im konkreten Fall tatsächlich in die Bilanz aufgenommen werden kann (konkrete Bilanzierungsfähigkeit), d. h. ob nicht wirtschaftliche oder rechtliche Besonderheiten die Bilanzierung dieses Gegenstandes unterbinden.

Lösung 86:

Bilanzgewinn: Diese Größe besteht zum Teil aus Erfolgen anderer Perioden (Gewinn-/Verlustvortrag, Rücklagenbildung/-auflösung). Es handelt sich nicht um den gesamten Periodengewinn, sondern nur um den verteilungsfähigen Teil.

Jahresüberschuß: Diese Größe ist um Gewinnteile gekürzt, die zur Steuerzahlung und zur Abführung an andere Unternehmen verwendet wurden. Andererseits kann er Steuererstattungen aus anderen Perioden enthalten.

Rohertrag: Diese Größe ist weder eine Brutto- noch eine Nettogröße. Von der Gesamtleistung sind nur die Materialaufwendungen abgesetzt, nicht aber der übrige Betriebsaufwand. Auch die Grundlage „Gesamtleistung" ist problematisch, da sie z. B. Bewertungserfolge enthält.

Aufgabe 53:

Nach welchen Kriterien bestimmt sich die handelsrechtliche abstrakte Bilanzierungsfähigkeit?

Aufgabe 87:

Hat ein Unternehmen eine bestimmte Rechtsform oder gehört es einer bestimmten Branche an oder erfüllt es bestimmte Größenmerkmale, so hat es neben Bilanz und GuV jährlich einen Geschäftsbericht aufzustellen. Für welche Unternehmen besteht diese gesetzliche Notwendigkeit hauptsächlich?

Lösung 53:

Im Sinne des § 39 I HGB dürfen nur **Vermögensgegenstände** aktiviert und **Schulden** passiviert werden. Es ist also bei der Frage nach der abstrakten handelsrechtlichen Bilanzierungsfähigkeit festzustellen, ob es sich bei den Gegenständen (i. w. S.) um Vermögensgegenstände bzw. um Schulden handelt.

Anm. Die Bezeichnung „Vermögensgegenstand" wird auch als Oberbegriff für die positiven Vermögensgegenstände (der Aktivseite) und die negativen Vermögensgegenstände (der Passivseite, Schulden) verwendet.

Lösung 87:

Rechtsform:	Aktiengesellschaften Genossenschaften Eigenbetriebe
Branche:	Versicherungsunternehmen Bausparkassen
Größe:	jede inländische Konzernobergesellschaft unabhängig von der Rechtsform, wenn für drei aufeinander folgende Abschlußstichtage mindestens zwei der folgenden Merkmale zutreffen: Bilanzsumme der Konzernbilanz größer als 125 Mio DM externe Konzernumsatzerlöse größer als 250 Mio DM Zahl der im Konzern Beschäftigten im Durchschnitt größer als 5 000.

Aufgabe 54:

Was ist unter dem handelsrechtlichen Begriff „Vermögensgegenstand" zu verstehen?

Aufgabe 88:

Welcher Zweck wird mit der gesetzlichen Forderung nach Aufstellung eines Geschäftsberichtes verfolgt?

Lösung 54:

Dieser Begriff ist gesetzlich nicht näher definiert. In einem recht weiten Rahmen stellen aber die Gliederungsvorschriften der §§ 151 AktG, 33d GenG eine Aufzählung von Vermögensgegenständen dar. Auch die Rechtsprechung hat keine umfassende Definition aufgestellt. Ein brauchbares Kriterium ist die selbständige Veräußerbarkeit (Verkehrsfähigkeit). Es sind also nur die Güter Vermögensgegenstände im bilanziellen Sinne, die Gegenstand des Rechtsverkehrs sein können (wirtschaftliche Betrachtungsweise).

Anm. Daneben sind aber auch Vorausleistungen (Rechnungsabgrenzungsposten) und Korrekturposten (ausstehende Einlagen, Bilanzverlust) aktivierungsfähig.

Lösung 88:

Der Geschäftsbericht hat die Aufgabe, den Gesellschaftsorganen (Aufsichtsrat, Hauptversammlung), den Gesellschaftern, den Gläubigern, der Belegschaft und der interessierten Öffentlichkeit weitere Informationen über den Geschäftsverlauf und über die Lage der Gesellschaft zu vermitteln. Er dient insofern dem Prinzip der Klarheit, da er außerdem den Zweck hat, die Positionen der Bilanz und der GuV zu erläutern.

Anm. Dementsprechend ist der Geschäftsbericht etwa der Aktiengesellschaft aufgeteilt in Lagebericht (einschließlich Sozialbericht) und Erläuterungsbericht.

Aufgabe 55:

Was ist unter dem handelsrechtlichen Begriff „Schulden" zu verstehen?

Aufgabe 89:

Welche wesentlichen Punkte sind im Lagebericht darzustellen?

Lösung 55:

Dieser Begriff ist ebenfalls aus der ausführlichen Kasuistik der §§ 151 AktG, 33d GenG beispielhaft zu ersehen. Unter Schulden sind nicht nur die bürgerlich-rechtlichen Schulden zu verstehen, sondern alle gegenwärtigen und zukünftigen Belastungen des Vermögens des Kaufmanns, die dem Grunde nach bestehen oder hinreichend sicher erwartet werden, auch wenn deren Höhe noch ungewiß ist.
Anm. Auch auf der Passivseite sind allerdings Rechnungsabgrenzungsposten und Korrekturposten (Wertberichtigungen) sowie Differenzgrößen (Gewinn) zu bilanzieren.

Lösung 89:

Nach § 160 I AktG handelt es sich um folgende drei Bereiche:
a) der Geschäftsverlauf im Berichtsjahr
b) die wirtschaftliche Lage im Berichtsjahr
c) Vorgänge von besonderer Bedeutung, die zwischen Bilanzstichtag und Bilanzerstellungstag eingetreten sind.

Anm. Der Sozialbericht ist nicht gesetzlich vorgeschrieben. In ihm gibt der Vorstand Rechenschaft über die sozialen Verhältnisse und Leistungen im Unternehmen.

Aufgabe 56:

Nach welchen Kriterien bestimmt sich die steuerrechtliche abstrakte Bilanzierungsfähigkeit?

Aufgabe 90:

Wie läßt sich der Erläuterungsbericht gem. § 160 II, III AktG gliedern?

Lösung 56:

Im Sinne des Maßgeblichkeitsprinzips ist diese Frage nach den handelsrechtlichen Definitionen zu entscheiden. Die ständige Rechtsprechung des RFH und BFH ging und geht jedoch einen anderen Weg. Danach besteht für **Wirtschaftsgüter** eine abstrakte Bilanzierungspflicht. Positive Wirtschaftsgüter sind abstrakt aktivierungsfähig, negative Wirtschaftsgüter abstrakt passivierungsfähig.

Lösung 90:

Erläuterungen zu den einzelnen Positionen von Bilanz und GuV
Erläuterungen zur Bewertung und Abschreibung:

Angabe der Bewertungs- und Abschreibungsmethoden

Angabe der Abschreibungen und Wertberichtigungen auf Zugänge des Geschäftsjahres im Anlagevermögen

Angabe der Abweichungen, die die Vergleichbarkeit mit dem letzten Jahresabschluß beeinträchtigen (wesentliche Änderungen der Bewertungs- und Abschreibungsmethoden, Vornahme außerplanmäßiger Abschreibungen und Wertberichtigungen, Angabe der Differenz zwischen den Jahreserfolgen, die sich durch veränderte Bewertungsmethoden ergibt, wenn diese Differenz bestimmte Grenzen überschreitet).

Einzelangaben zu im Gesetz gesondert aufgeführten Tatbeständen (vgl. § 160 III AktG).

III. Bewertung

Nachdem die Bilanzierungsfähigkeit dem Grunde nach bejaht worden ist, sind zwei Fragen zu beantworten:
(1) Die Frage nach den Wertkategorien: Wie wird ein bestimmter Wert ermittelt?
(2) Die Frage nach den Bewertungsprinzipien: Welcher von alternativen Werten ist in der Bilanz anzusetzen?
zu (1): In Handels- und Steuerrecht wird eine Vielzahl unterschiedlich definierter Werte genannt. Die wichtigsten Werte sind die Anschaffungskosten (Aufgabe 92 ff.), die Herstellungskosten (Aufgabe 101 ff.), der Teilwert (Aufgabe 110 ff.), die Wiederbeschaffungs- bzw. Wiederherstellungskosten und die sog. „beizulegenden" Werte am Bilanzstichtag (Aufgabe 118 ff.).
Die Anschaffungskosten umfassen den Anschaffungspreis und die Anschaffungsnebenkosten (Aufgabe 94 ff.); Entgeltminderungen sind abzuziehen, Zuschüsse Dritter können unterschiedlich gebucht werden (Aufgabe 97). Während die Ermittlung der Anschaffungskosten beim Kauf meist relativ einfach ist, muß beim Tausch (Aufgabe 98 f.) und beim unentgeltlichen Erwerb (Aufgabe 100) meist geschätzt werden.
Die Berechnung der Herstellungskosten für selbsterstellte Vermögensgegenstände ist erheblich problematischer (Aufgabe 101 ff.). Besondere Probleme treten auf, weil die Kosten der Kostenrechnung nicht unkorrigiert in die bilanzielle Bewertung übernommen werden können (Aufgabe 103), weil die handels- und steuerrechtlichen Vorschriften sich z. T. nicht decken (Aufgabe 104 ff.), andererseits aber das Maßgeblichkeitsprinzip zu berücksichtigen ist (Aufgabe 108), weil die Einbeziehung der fixen Kosten umstritten ist (Aufgabe 109) und weil die Gemeinkosten im allgemeinen nur schätzungsweise zugerechnet werden können (Aufgabe 233).
Der Teilwert hat direkt nur Bedeutung für die Steuerbilanz. Aufgrund seiner Definition (Aufgabe 110) ist er weder theoretisch noch praktisch genau zu ermitteln (Aufgabe 111 ff.). Deshalb wurden vom Reichsfinanzhof die sog. „Vermutungen" über die Höhe des Teilwertes aufgestellt (Aufgabe 115 f.), die sich an anderen Wertkategorien orientieren.
Die sog. „beizulegenden" Werte sind im Aktiengesetz definiert. Sie gelten für das Umlaufvermögen (Aufgabe 118) und sind Bilanzstichtagswerte, die aus dem Börsen- oder Marktwert, nach vernünftiger kaufmännischer Beurteilung oder aus der Steuerbilanz hergeleitet werden (Aufgabe 119 ff.).

zu (2): Existieren für denselben Vermögensgegenstand am Abschlußstichtag mehrere unterschiedliche Werte, so ist unter Beachtung der handels- und steuerrechtlichen Vorschriften ein zulässiger Wert anzusetzen. Dabei gilt in der Handelsbilanz im Anlagevermögen das gemilderte Niederstwertprinzip (in der Aktienbilanz das Fixwertprinzip) (Aufgabe 30, 123): Es besteht in gewissem Umfang ein Bewertungswahlrecht (Aufgabe 124). Im Umlaufvermögen der Handelsbilanz ist das strenge Niederstwertprinzip zu beachten (Aufgabe 125): Von alternativen Werten muß der jeweils niedrigste angesetzt werden. Dieses Prinzip ist aber z. T. durchbrochen (Aufgabe 125 f.). In der Steuerbilanz gilt durchweg das gemilderte Niederstwertprinzip (Aufgabe 127). Über das Maßgeblichkeitsprinzip gilt das handelsrechtliche strenge Niederstwertprinzip für die Bewertung des Umlaufvermögens allerdings auch für die Bewertung des Umlaufvermögens in der Steuerbilanz (Aufgabe 128 ff.).

Die Anschaffungs- oder Herstellungskosten des abnutzbaren Anlagevermögens sind fortzuführen; das bedeutet in der Handelsbilanz den Ansatz planmäßiger Abschreibungen, in der Steuerbilanz den Ansatz von Absetzungen für Abnutzung oder Substanzminderung. Dadurch werden die Anschaffungs- oder Herstellungskosten erfolgswirksam über die wirtschaftliche Nutzungsdauer verteilt (Aufgabe 133 ff.). Zur Ermittlung der jährlichen Abschreibungsbeträge ist es notwendig, die wirtschaftliche Nutzungsdauer zu schätzen (Aufgabe 137 f.), eine zulässige Abschreibungsmethode zu wählen (Aufgabe 141 ff.) und u. U. den Schrottwert zu ermitteln (Aufgabe 139 f.). Die berechneten Abschreibungsquoten sind auf ihre handels- und steuerrechtliche Zulässigkeit zu prüfen (Aufgabe 146 ff.); dies gilt besonders für die degressiven Abschreibungsmethoden. Neben den „gewöhnlichen" Abschreibungen können bei außergewöhnlichen Wertminderungen außerplanmäßige Abschreibungen angesetzt werden (Aufgabe 155 f.). Schließlich sind in der Steuerbilanz (und über die Rückwirkung des Maßgeblichkeitsprinzips auch in der Handelsbilanz) Sonderabschreibungen bzw. erhöhte Absetzungen aus wirtschaftspolitischen Gründen möglich (Aufgabe 157 f.). Sind Abschreibungsbeträge zu hoch angesetzt worden, so kann dies (außer im abnutzbaren Anlagevermögen der Steuerbilanz) u. U. durch eine Zuschreibung (Wertaufholung) korrigiert werden (Aufgabe 159 ff.).

Zur Vereinfachung der Vorratsbewertung wird das sonst gültige Prinzip der Einzelbewertung zugunsten einer Sammelbewertung durchbrochen (Aufgabe 163 ff.). Für die Ermittlung dieses Pauschalwertes sind verschiedene Methoden entwickelt worden (Durchschnittsbewertung, Verbrauchsfolgefiktion) (Aufgabe 165 ff.), deren Zulässigkeit jedoch jeweils an der Einhaltung des strengen Niederstwertprinzips und an eventuellen gesetzlichen Verboten geprüft werden muß (Aufgabe 164, 166, 171 ff.). In besonderen Fällen ist auch die Beibehaltung eines Festwertes über mehrere Bilanzstichtage zulässig (Aufgabe 175).

Für die Bewertung der Passiva gilt in analoger Form zur Aktivseite das Höchstwertprinzip. Da auf der Passivseite jedoch Geldkapitalwerte bilanziert werden, ist die Bewertung bis auf einige Ausnahmen unproblematisch. Eine dieser Ausnahmen betrifft die Rückstellungen (Aufgabe 176 ff.), besonders die Pensionsrückstellungen (Aufgabe 177 ff.). Die Bewertung der offenen Rücklagen ist vor allem ein Verfügungsproblem, betrifft also die Frage, wer berechtigt ist, Rücklagen zu bilden (Geschäftsleitung, Gesellschafterversammlung) (Aufgabe 189 ff.). Dagegen entstehen die stillen Rücklagen im allgemeinen erst durch die Wahrnehmung von Bewertungswahlrechten bei verschiedenen Vermögens- und Schuldpositionen (Aufgabe 193 ff.).

Aufgabe 91:

Welche Wertkategorien werden von Handels- und Steuerbilanzrecht im wesentlichen genannt?

Aufgabe 144:

Am 28. 12. 1975 wurde eine Maschine zu AHK von DM 1000,– beschafft. Die wirtschaftliche Nutzungsdauer beträgt $n = 10$ Jahre.

a) Wie hoch sind die Bilanzansätze bei linearer Abschreibung am 31. 12. 1975 und am 31. 12. 1977?
b) Wie hoch wäre der Bilanzansatz am 31. 12. 1977, wenn die Wiederbeschaffungskosten zu diesem Zeitpunkt auf DM 900,– gesunken wären?
c) Nach welchem Prinzip wird die in b) genannte Bewertungsfrage gelöst?

Lösung 91:

Handelsbilanz	Steuerbilanz
Anschaffungskosten	Anschaffungskosten
Herstellungskosten	Herstellungskosten
Wiederbeschaffungs-kosten am Bilanzstichtag	—
Wiederherstellungs-kosten am Bilanz-stichtag	—
—	(niedrigerer) Teilwert
»beizulegender« Wert	—

Anm. Die wichtigsten dieser Werte sind die AHK, dann der Teilwert, dann die sonstigen Werte.

Lösung 144:

a) Die Bilanzansätze betragen:

ohne Vereinfachungsregel	31. 12. 1975: DM 1000,—
	31. 12. 1977: DM 800,—
mit Vereinfachungsregel	31. 12. 1975: DM 950,—
	31. 12. 1977: DM 750,—

b) Durch die gesunkenen Wiederbeschaffungskosten wird der Bilanzansatz nicht beeinflußt.

c) Nach dem Nominalwertprinzip sind die fortgeführten AHK der höchstmögliche Bilanzsatz. Da die Wiederbeschaffungskosten mit DM 900,— höher liegen, können sie nicht berücksichtigt werden. Das gemilderte Niederstwertprinzip bzw. das Realisationsprinzip gestatten in diesem Fall keine Wahlmöglichkeit.

Aufgabe 92:

Weder Handelsrecht noch Steuerrecht geben eine Definition des Begriffes Anschaffungskosten. Er ist nach den GoB weit auszulegen. Wie wäre er etwa allgemein zu definieren?
Anm. Die Wiederbeschaffungskosten sind in analoger Weise zu definieren.

Aufgabe 145:

Die lineare, degressive und progressive Abschreibungsmethode sind hinsichtlich des tatsächlichen Wertverzehrs und hinsichtlich der Einhaltung des Vorsichtsprinzips zu beurteilen.

Lösung 92:

Da in Handels- und Steuerrecht von Anschaffungs**kosten** gesprochen wird, umfaßt dieser Begriff nicht nur den Anschaffungspreis, sondern auch alle Nebenkosten, die mit der Anschaffung bis zum Erreichen der Betriebsbereitschaft verbunden sind (Anschaffungsnebenkosten).

Anm. Die gesetzliche Bezeichnung dieses Begriffes als Kosten ist betriebswirtschaftlich falsch. Es handelt sich um Ausgaben. Zusatzkosten bleiben unberücksichtigt. Die Bezeichnung Anschaffungskosten hat sich jedoch durchgesetzt.

Lösung 145:

	lineare Abschreibung	degressive Abschreibung	progressive Abschreibung
Wertverzehr	kein Zusammenhang feststellbar	tendenziell Übereinstimmung mit dem Verlauf des Marktwertes	tendenziell Übereinstimmung mit dem Verlauf des Gebrauchswertes
Vorsichtsprinzip	kein Zusammenhang feststellbar	Berücksichtigung des Vorsichtsprinzips	Verstoß gegen das Vorsichtsprinzip

Aufgabe 93:

Die Anschaffungskosten stellen einen historischen Wert dar. Dieser mindert sich häufig durch Abnutzung oder Preisänderung. Man bezeichnet einen solchen Wert als „fortgeführte Anschaffungskosten". Wie sind diese definiert?

Aufgabe 146:

Um bei geometrisch-degressiver Abschreibung bei einer wirtschaftlichen Nutzungsdauer von 5 Jahren auf einen Restwert von 1 % der AHK zu gelangen, muß der konstante Abschreibungsprozentsatz mit 60,2 % angesetzt werden. Ist dieser Abschreibungssatz **handels**rechtlich zulässig?

Lösung 93:

Werden Wertminderungen durch planmäßige Abschreibungen erfaßt, so spricht man von fortgeführten Anschaffungskosten. Dieser Begriff kann also nur im abnutzbaren Anlagevermögen verwendet werden.

Lösung 146:

Dieser hohe Prozentsatz ist auch unter Berücksichtigung hoher technischer Abnutzung und wirtschaftlicher Veraltung bei einer wirtschaftlichen Nutzungsdauer von 5 Jahren betriebswirtschaftlich unrealistisch. Da dadurch der sichere Einblick in die Vermögenslage beeinträchtigt wird, ist dieses Vorgehen unzulässig.

Aufgabe 94:

Was ist im wesentlichen unter Anschaffungsnebenkosten zu verstehen?
Gehört die MWSt hinzu?

Aufgabe 147:

Unter welchen Voraussetzungen ist die lineare Abschreibungsmethode handels- und steuerrechtlich zulässig?

Lösung 94:

Zu den Anschaffungsnebenkosten gehören insbesondere:
- Transportkosten und -versicherung
- Aufstellungs- und Montagekosten
- Gebühren z. B. für die Beurkundung von Kaufverträgen
- Provisionen und Vermittlergebühren
- z. T. Steuern (Grunderwerbsteuer), Zölle und sonstige Abgaben

Da die MWSt weder Aufwand noch Kosten darstellt (bestr.), gehört sie regelmäßig nicht zu den Anschaffungsnebenkosten (sie ist als Forderung gegen das Finanzamt zu buchen), wohl aber eine eventuelle Investitionsteuer. Eine Ausnahme gilt für Kaufleute, die nicht der MWSt-Pflicht, sondern der USt-Pflicht nach altem Recht unterliegen (Kleinunternehmer).

Lösung 147:

Die lineare Abschreibungsmethode (bzw. AfA-Methode) ist als Normalfall der Verteilung der AHK auf die Nutzungsdauer zu betrachten. Ihre Anwendung ist deshalb grundsätzlich erlaubt. Es bestehen weder Beschränkungen auf bewegliche/unbewegliche Vermögensgegenstände (bzw. Wirtschaftsgüter) noch betragsmäßige Beschränkungen des Prozentsatzes. **Anm.** Dies zeigt sich etwa daran, daß nach § 7 III EStG in der Steuerbilanz der Übergang von der degressiven AfA auf die (normale) lineare AfA zulässig ist. Der umgekehrte Weg ist verboten.

Aufgabe 95:

Die bilanzielle Behandlung der Anschaffungsnebenkosten ist umstritten. In welchen Bilanzen besteht Aktivierungspflicht, in welchen Aktivierungswahlrecht?

Aufgabe 148:

Für die degressive Abschreibungsmethode spricht, daß sie die wirtschaftliche Entwertung (technischer Fortschritt, Nachfrageänderungen) besser berücksichtigt (Prinzip der kaufmännischen Vorsicht) als die lineare Abschreibungsmethode. Außerdem wird behauptet, sie sei „planmäßiger" als die lineare Abschreibungsmethode. Wie läßt sich diese Behauptung begründen?

Lösung 95:

Sowohl in der Handels- als auch in der Steuerbilanz besteht nach h. M. Aktivierungspflicht.

Anm. In neuerer Zeit setzt sich die Auffassung durch, daß auch die Bewertungsvorschriften des AktG als GoB aufzufassen seien. Damit stellt die gesetzliche Norm des AktG eine Vorschrift dar, die wegen ihrer Eigenschaft als GoB auch von Unternehmen anderer Rechtsform zu beachten ist.

Lösung 148:

a) Die Risiken des technischen Fortschritts werden im Abschreibungsplan bereits berücksichtigt; dadurch sind außerplanmäßige Abschreibungen seltener notwendig als bei linearer Abschreibung.

b) Fehlschätzungen der Nutzungsdauer wirken sich um so weniger aus, je später sie sich bewahrheiten. Die Nutzungsdauer braucht deshalb seltener korrigiert zu werden als bei linearer Abschreibung.

c) Die Aufwandsbelastung (Abschreibungs- und Reparaturaufwand) bleibt in jedem Jahr etwa gleich, da der Reparaturaufwand meist progressiv steigt.

Aufgabe 96:

Wie berechnen sich die Anschaffungskosten bzw. die Anschaffungsnebenkosten aus folgenden Angaben:

Listenpreis	DM	100 000,—
Skonto	DM	3 000,—
Rabatt	DM	10 000,—
Fracht	DM	1 000,—
Transportversicherung	DM	500,—
Kaskoversicherung	DM	1 500,—
Maklerprovision	DM	1 000,—
Finanzierungskosten	DM	5 000,—
Aufstellung im Betrieb	DM	1 000,—
Anlaufkosten	DM	2 000,—
nachträgliche Beschaffung eines Zusatzmotors mit Einbau	DM	5 000,—
Zuschuß eines Verwandten	DM	5 000,—
Zuschuß des Unternehmers selbst	DM	10 000,—

Aufgabe 149:

Unter welchen Voraussetzungen ist die geometrisch-degressive AfA-Methode in der Steuerbilanz zulässig?

Lösung 96:

Anschaffungskosten:	
Listenpreis	DM 100 000,—
– Skonto	DM 3 000,—
– Rabatt	DM 10 000,—
Zusatzmotor	DM 5 000,—
– Zuschuß von Verwandten	DM 5 000,—
	DM 87 000,—
Anschaffungsnebenkosten:	
Fracht	DM 1 000,—
Transportversicherung	DM 500,—
Kaskoversicherung	DM 1 500,—
Maklerprovision	DM 1 000,—
Aufstellung	DM 1 000,—
Anlaufkosten	DM 2 000,—
	DM 7 000,—

In der Steuerbilanz und in der Aktienbilanz sind also DM 94 000,— zu aktivieren.

Lösung 149:

Die geometrisch-degressive AfA-Methode ist nur bei beweglichen abnutzbaren Wirtschaftsgütern des Anlagevermögens anwendbar, wobei der Prozentsatz

a) nicht größer sein darf als das Zweieinhalbfache des zulässigen linearen AfA-Satzes **und**
b) nicht größer sein darf als 25 % (§ 7 II EStG).

Aufgabe 97:

Während in der Handelsbilanz die Anschaffungskosten um die Zuschüsse Dritter zu kürzen sind, existiert in der Steuerbilanz im allgemeinen noch eine andere Möglichkeit der bilanziellen Behandlung derartiger Zuschüsse. Welche ist das?

Aufgabe 150:

Der arithmetisch-degressiven AfA-Methode kommt wegen der gesetzlichen Beschränkungen keine praktische Bedeutung zu. Wie ist das zu erklären?

Lösung 97:

Die Steuerbilanz räumt ein Wahlrecht ein: Entweder werden die Anschaffungskosten um den Zuschuß gekürzt (sog. erfolgsneutrale Behandlung, es wird aber nur der Erfolg des Anschaffungsjahres nicht berührt, spätere Erfolge werden durch die verminderten Abschreibungsbeträge erhöht) oder die Anschaffungskosten werden in voller Höhe aktiviert und der Zuschuß wird als Betriebseinnahme gebucht (erfolgswirksame Behandlung).

Anm. Dagegen besteht bei Investitionszulagen, die **nicht** den steuerpflichtigen Gewinn erhöhen sollen (z. B. Investitionszulage nach § 19 BFG) nur die Möglichkeit, diesen Zuschuß erfolgswirksam zu buchen und nachträglich vom Gewinn der Steuerbilanz wieder abzusetzen oder diesen Zuschuß völlig erfolgsneutral als Einlage zu buchen (erfolgsunwirksame Betriebseinnahme).

Lösung 150:

Nach § 11a EStDV ist die arithmetisch-degressive AfA bei beweglichen abnutzbaren Wirtschaftsgütern des Anlagevermögens zulässig, wenn

a) der Abschreibungsbetrag im ersten Jahr nicht höher ist als bei zulässiger geometrisch-degressiver AfA **und**
b) die Summe der Abschreibungsbeträge der ersten drei Jahre nicht höher ist als bei zulässiger geometrisch-degressiver AfA.

Unter diesen Einschränkungen kann die arithmetisch-degressive AfA erst bei beweglichen Wirtschaftsgütern mit Nutzungsdauern von mehr als 20 Jahren angesetzt werden. Derart langlebige **bewegliche** Wirtschaftsgüter sind jedoch sehr selten (z. B. Eisenbahnschienen).

Aufgabe 98:

Umstritten ist die Bestimmung der Anschaffungskosten beim Tausch. Wie sind bei diesem Vorgang die Anschaffungskosten zu ermitteln?

Aufgabe 151:

Die Anwendung der degressiven Abschreibungsmethoden in der Handelsbilanz ist nur durch das Prinzip des sicheren Einblicks in die Vermögenslage eingeschränkt. Ein Vermögensgegenstand werde in der Handelsbilanz geometrisch-degressiv mit einem Satz von 30% abgeschrieben. Dadurch wurde der sichere Einblick nicht getrübt. Kann dieser Prozentsatz also angesetzt werden?

Lösung 98:

Werden Wirtschaftsgüter im Wege des Tausches erworben, so sind sie in der Steuerbilanz mit dem gemeinen Wert des **hingegebenen** Gutes zu bewerten (BFH-Gutachten) (Gemeiner Wert = Einzelveräußerungswert, BewG), es sei denn, die getauschten Güter sind wert-, art- **und** funktionsgleich. Dann können die fortgeführten Anschaffungskosten beibehalten werden.
In Anlehnung an diese steuerrechtliche Regelung ist nach h. M. auch in der Handelsbilanz zu verfahren.

Lösung 151:

Eine Beeinträchtigung der handelsrechtlichen Zulässigkeit könnte durch die Rückwirkung des Maßgeblichkeitsprinzips eintreten. In der Steuerbilanz ist der Prozentsatz auf maximal 25 % beschränkt. Die Abschreibungsbeträge in der Steuerbilanz wären also kleiner als in der Handelsbilanz. Da in der Handelsbilanz aber das gemilderte Niederstwertprinzip gilt, kann auch der niedrigere Bilanzansatz (durch 30 % Abschreibung) gewählt werden.

Aufgabe 99:

Ein Unternehmer tauscht eine seiner Werkzeugmaschinen (fortgeführte Anschaffungskosten DM 10000,–; gemeiner Wert DM 20000,–) gegen einen Lastkraftwagen (gemeiner Wert DM 22000,–).

a) Wie wirkt sich dieser Tausch auf den Gewinn der Periode aus, in der der Tausch stattfindet?
b) Was spricht gegen eine Aktivierung von DM 22000,–?
c) Wenn der Lkw einen gemeinen Wert von DM 18000,– hätte, in welcher Höhe wäre dann zu aktivieren?

Aufgabe 152:

Wie ist die steuerrechtliche Zulässigkeit der progressiven AfA-Methode zu beurteilen?

Lösung 99:

a) Da die Anschaffungskosten des Lkw DM 20 000,— betragen, berechnet sich die Gewinnänderung zu:

(Buchmäßiger) Verlust aus Abgang einer Werkzeugmaschine	DM 10 000,—
(Buchmäßiger) Ertrag aus Zugang eines Lkw	DM 20 000,—
Gewinnerhöhung	DM 10 000,—

b) Auch beim **Kauf** kommt es für die Bewertung auf den objektiven Wert des hingegebenen Gutes (=Geld) an. Der Tausch ist wirtschaftlich als Kauf zu betrachten. Das hingegebene Gut (Werkzeugmaschine) hat einen objektiven Wert von nur DM 20 000,–.

c) Nach dem Prinzip der Vorsicht ist bei der Aktivierung in diesem Fall der Wertverlust durch den Tausch zu berücksichtigen (Realisationsprinzip für eingetretene Verluste). Zumindest ist dieser Wertverlust zu befürchten (Imparitätsprinzip). Deshalb sind die Anschaffungskosten in diesem Fall mit DM 18 000,– anzusetzen.

Lösung 152:

Im EStG wird das progressive Abschreibungsverfahren nicht erwähnt, insofern liegt kein gesetzliches Verbot vor. In der Handelsbilanz verstößt die progressive Abschreibung jedoch gegen das Vorsichtsprinzip, sie ist hier i. d. R. nicht anwendbar (bestr.). Über das Maßgeblichkeitsprinzip wirkt dieses Verbot auch für die Steuerbilanz.

Aufgabe 100:

Es kommt hin und wieder vor, daß einem Kaufmann Vermögensgegenstände (Wirtschaftsgüter) geschenkt werden (z. B. Erbschaft). Wie hoch sind in diesem Fall die Anschaffungskosten?

Aufgabe 153:

Unter welchen Voraussetzungen ist die Leistungsabschreibung in der Steuerbilanz zulässig?

Lösung 100:

Im Handelsrecht besteht bei unentgeltlichem Erwerb ein Wahlrecht zwischen dem Wert „DM 1,–" und dem „üblichen Anschaffungswert"; in der Steuerbilanz **müssen** diese Wirtschaftsgüter nach § 7 II EStDV mit dem Betrag aktiviert werden, den der Kaufmann beim Kauf hätte aufwenden müssen.
Anm. Dieser Wert ist ein **Anschaffungs**wert im Gegensatz zum gemeinen Wert (**Veräußerungs**wert). Der Unterschied ist in der Praxis allerdings selten bedeutsam.
Anm. Bei unentgeltlichem Erwerb von ganzen Betrieben oder Teilbetrieben gelten in der Steuerbilanz die bisherigen Buchwerte als Anschaffungskosten (§ 7 I EStDV).

Lösung 153:

Die Leistungsabschreibung ist nach § 7 II EStG für bewegliche abnutzbare Wirtschaftsgüter des Anlagevermögens zulässig, wenn
a) die Anwendung der Methode wirtschaftlich begründet wird **und**
b) der auf ein Jahr entfallende Umfang der Leistung nachweisbar ist.

Aufgabe 101:

Vermögensgegenstände bzw. Wirtschaftsgüter, die ganz oder teilweise selbst erstellt werden, sind mit den Herstellungskosten zu bewerten. Wie sind diese in Handels- und Steuerrecht definiert?
Anm. Die Wiederherstellungskosten sind in analoger Weise definiert.

Aufgabe 154:

Welcher Unterschied besteht zwischen Abschreibungen und Abgängen (bzw. in analoger Weise zwischen Zuschreibungen und Zugängen)?

Lösung 101:

Der Begriff der Herstellungskosten ist gesetzlich nicht erschöpfend definiert.
§ 153 II AktG: Bei der Berechnung der Herstellungskosten dürfen in angemessenem Umfang Abnutzungen und sonstige Wertminderungen sowie angemessene Teile der Betriebs- und Verwaltungskosten eingerechnet werden, die auf den Zeitpunkt der Herstellung entfallen. Vertriebskosten gelten nicht als Betriebs- und Verwaltungskosten.
Abschnitt 33 EStR: Herstellungskosten sind die Aufwendungen, die durch den Verbrauch von Gütern und die Inanspruchnahme von Diensten für die Herstellung eines Erzeugnisses entstehen.
Anm. Die EStR haben **nicht** Gesetzeskraft. Sie stellen nur Verwaltungsanweisungen dar. Der Steuerpflichtige wird sich der Einfachheit halber daran halten; weicht er von ihnen ab, so wird von ihm eine strengere Nachweispflicht verlangt.

Lösung 154:

Abschreibungen verrechnen **Wert**minderungen, sie sind bis zu einem Erinnerungswert von DM 1,– zulässig. Dieser Wert bleibt solange aktiviert (Grundsatz der Vollständigkeit), bis der Vermögensgegenstand (bzw. das Wirtschaftsgut) aus dem Unternehmen ausscheidet (= mengenmäßige Minderung = Abgang).

Aufgabe 102:

Das Steuerrecht kennt außer dem Begriff der Herstellungskosten den des Herstellungsaufwandes. Was ist darunter zu verstehen?

Aufgabe 155:

Eine außerplanmäßige Abschreibung setzt eine außergewöhnliche Entwertung voraus. Wann ist eine Entwertung als außergewöhnlich anzusehen?
Anm. Dieses Erfordernis gilt nicht für die steuerrechtlichen Sonderabschreibungen und erhöhten Absetzungen.

Lösung 102:

Herstellungsaufwand wird Reparaturaufwand genannt, der aktivierungspflichtig ist. Wird der Reparaturaufwand ohne Aktivierung in der GuV verrechnet, so wird er steuerrechtlich Erhaltungsaufwand genannt. Dieses Begriffspaar wird nur in diesem speziellen Sinne verwendet.

Lösung 155:

Eine Entwertung ist dann außergewöhnlich, wenn

a) die technische Fähigkeit des Vermögensgegenstandes (Wirtschaftsgutes), Nutzungen abzugeben, stärker als planmäßig abgenommen hat (z. B. durch Brand, Explosion u. ä., aber auch durch vorübergehenden Mehrschichtbetrieb)

b) der Nutzungsvorrat aus wirtschaftlichen Gründen stärker entwertet worden ist (z. B. durch Nachfrageverschiebung, technischen Fortschritt),

c) die Wiederbeschaffungskosten stärker als erwartet gesunken sind.

Anm. Die ersten beiden Gründe können in der Steuerbilanz zum Ansatz von AfaA (Absetzungen für außergewöhnliche technische oder wirtschaftliche Abnutzung) führen, der letzte Grund zur Teilwertabschreibung.

Aufgabe 103:

Die Errechnung der Herstellungskosten im betriebswirtschaftlichen Sinne ist Aufgabe der Kostenrechnung. Dennoch sind die so ermittelten Herstellungskosten prinzipiell nicht für die Bewertung in Handels- und Steuerbilanz geeignet. Welche Begründung läßt sich für diese Behauptung finden?

Aufgabe 156:

Welchen speziellen Einschränkungen unterliegt in der Steuerbilanz der Ansatz von AfaA und Teilwertabschreibung?

Lösung 103:

Die handels- und steuerrechtliche Definition der Herstellungskosten stimmt wegen der unterschiedlichen Zielsetzung nicht mit der betriebswirtschaftlichen Definition überein. In Handels- und Steuerbilanz kann nur Aufwand aktiviert werden, der irgendwann mit Ausgaben verbunden ist (pagatorische Definition). Zusatzkosten (kalkulatorische Definition) bleiben in Handels- und Steuerbilanz außer acht.
Anm. Wie bei den Anschaffungskosten (= Ausgabe) handelt es sich auch hier eigentlich um Herstellungsausgaben. Der Begriff Herstellungskosten hat sich jedoch durchgesetzt. Zur besseren Unterscheidung sollte man die kostenrechnerischen Herstellungskosten „Herstellkosten" nennen.

Lösung 156:

Die AfaA darf nur bei abnutzbaren Wirtschaftsgütern des Anlagevermögens angesetzt werden, sofern **nicht** die degressive AfA angesetzt ist. Die Teilwertabschreibung ist bei allen Wirtschaftsgütern des Anlage- und des Umlaufvermögens möglich, unabhängig von Abnutzbarkeit und AfA-Methode.
Anm. Eine scharfe Trennung von AfaA und Teilwertabschreibung ist nicht immer möglich. Praktisch hat diese Differenzierung auch wenig Bedeutung.

Aufgabe 104:

Trotz der Abhängigkeit der Steuerbilanz von der Handelsbilanz (Maßgeblichkeitsprinzip) decken sich die Herstellungskosten in beiden Bilanzen nicht immer. Welche Gründe lassen sich dafür anführen?

Aufgabe 157:

Es gibt eine ganze Reihe von steuerrechtlichen Vorschriften, die den Ansatz von Sonderabschreibungen bzw. erhöhten Absetzungen zulassen. Welches ist grundsätzlich der Zweck solcher Vorschriften?
Anm.: Sonderabschreibungen werden **neben** der AfA abgesetzt. Erhöhte Absetzungen werden **statt** der AfA abgesetzt.

Lösung 104:

In der Steuerbilanz dürfen nur Aufwendungen, die als abzugsfähige Betriebsausgaben anerkannt werden, bei der Bewertung angesetzt werden.
In der Steuerbilanz besteht für eine Reihe von Aufwandsarten Aktivierungspflicht, in der Handelsbilanz dagegen Aktivierungswahlrecht (betrifft insbesondere die Gemeinkosten).

Lösung 157:

Zweck dieser Gewährung von Sonderabschreibungen und erhöhten Absetzungen ist in erster Linie die Förderung der Investitionstätigkeit zur Erreichung wirtschafts- und sozialpolitischer Ziele (z. B. Ausgleich von Standortnachteilen, Förderung des Umweltschutzes).

Aufgabe 105:

Es ist in knapper Form ein aktienrechtliches Kalkulationsschema darzustellen!

Aufgabe 158:

Welcher durch die Sonderabschreibungen und erhöhten Absetzungen hervorgerufene Effekt kann einen Unternehmer veranlassen, die gewünschten Investitionen zu tätigen?

Lösung 105:

Fertigungsmaterial	
+ Materialgemeinkosten	
=	Stoffkosten
+ Fertigungslöhne	
+ Fertigungsgemeinkosten	
+ Sondereinzel- und -gemeinkosten der Fertigung	
=	Fertigungskosten
+ Entwicklungs-, Versuchs- und Konstruktionskosten	
+ Verwaltungskosten	
=	(aktienrechtliche) Herstellungskosten

Lösung 158:

Sonderabschreibungen bzw. erhöhte Absetzungen führen zu einer früheren Aufwandverrechnung der Anschaffungsausgaben. Damit werden Steuerzahlungen vom Finanzamt für eine gewisse Zeit (maximal die wirtschaftliche Nutzungsdauer) gestundet. Der Unternehmer hat hierdurch Zins- und Liquiditätsvorteile. Eine endgültige Steuerersparnis ergibt sich im allgemeinen nicht.

Aufgabe 106:

Das AktG verbietet die Einbeziehung von Vertriebskosten in die Herstellungskosten. Wie ist dieses Verbot nach h. M. auszulegen und was gilt entsprechend in der Steuerbilanz?

Aufgabe 159:

Kann die AfaA, die Teilwertabschreibung bzw. die Sonderabschreibung (oder die erhöhte Absetzung) durch Zuschreibungen (teilweise) rückgängig gemacht werden?

Lösung 106:

Nach h. M. besteht in der Handelsbilanz nur für die Vertriebs**gemein**kosten ein Aktivierungsverbot, für die Sonder**einzel**kosten des Vertriebes besteht dagegen ein Aktivierungswahlrecht.
In der Steuerbilanz besteht für alle Vertriebskosten ein Aktivierungsverbot.

Lösung 159:

Bei den abnutzbaren Wirtschaftsgütern des Anlagevermögens gilt der strenge Wertzusammenhang. AfaA und Sonderabschreibungen bzw. erhöhte Absetzungen, die nur bei diesen Wirtschaftsgütern zulässig sind, können also durch Zuschreibungen nicht rückgängig gemacht werden. Die Teilwertabschreibung kann auch bei nicht abnutzbaren Wirtschaftsgütern des Anlagevermögens und beim Umlaufvermögen angesetzt werden. In diesen Fällen ist eine Zuschreibung erlaubt.

Aufgabe 107:

Für eine selbsterstellte Maschine liegen folgende Angaben vor:

Materialeinsatz	DM	10 000,—
Fertigungslöhne	DM	5 000,—
kalkulatorischer Unternehmerlohn	DM	500,—
Lizenzgebühr	DM	200,—
Lagerhaltungskosten (Material)	DM	100,—
Raumkosten (Fertigung)	DM	300,—
AfA bzw. planmäßige Abschreibung	DM	1 000,—
Abschreibung wegen Explosion bei der Herstellung	DM	3 000,—
freiwillige Sozialkosten (Fertigung)	DM	200,—
Verwaltungskosten	DM	900,—
Marktforschung	DM	300,—
Gewerbeertragsteuer	DM	100,—

Wie hoch ist der niedrigstmögliche Wert für die Herstellungskosten in Handels- und Steuerbilanz?

Aufgabe 160:

Bei einer Maschine wird im 2. Jahr der Nutzung festgestellt, daß die wirtschaftliche Nutzungsdauer voraussichtlich 10 Jahre und nicht 4 Jahre (wie ursprünglich angesetzt) betragen wird.

a) Welche Überlegung spricht für eine Zuschreibung in der Handelsbilanz?
b) Wie hoch wäre die Zuschreibung im 2. Jahr bei linearer Abschreibung?
c) Ist die Zuschreibung in der Steuerbilanz erlaubt?

Lösung 107:

	Handels-bilanz	Steuer-bilanz	Handels-bilanz	Steuer-bilanz
Materialeinsatz	Pflicht	Pflicht	10 000	10 000
Fertigungslöhne	Pflicht	Pflicht	5 000	5 000
Kalkulatorischer Unternehmerlohn	Verbot	Verbot		
Lizenzgebühr	Pflicht	Pflicht	200	200
Lagerhaltungskosten (Material)	Wahlrecht	Pflicht		100
Raumkosten (Fertigung)	Wahlrecht	Pflicht		300
AfA bzw. planmäßige Abschreibung	Wahlrecht	Pflicht		1 000
Abschreibung wegen Explosion	Verbot	Verbot		
freiwillige Sozialkosten (Fertigung)	Wahlrecht	Wahlrecht		
Verwaltungskosten	Wahlrecht	Wahlrecht		
Marktforschung	Verbot	Verbot		
Gewerbeertragsteuer	Wahlrecht	Wahlrecht		
			15 200	16 600

Lösung 160:

a) Wird die Zuschreibung unterlassen, so ist der Vermögensgegenstand unterbewertet. Damit wird der sichere Einblick in die Vermögenslage und in die Ertragslage der Folgejahre (zu geringe Abschreibung) beeinträchtigt.

b) Wert am Ende des 1. Jahres: 100 %–25 % = 75 % (4 Jahre)
Wert am Ende des 2. Jahres: 100 %–20 % = 80 % (10 Jahre)

Zuschreibung im 2. Jahr 5 %

c) Da es sich um ein abnutzbares Wirtschaftsgut des Anlagevermögens handelt, also der strenge Wertzusammenhang gilt, ist eine Zuschreibung verboten.

Aufgabe 108:

Zwischen den handelsrechtlichen und den steuerrechtlichen Herstellungskosten treten oft Differenzen auf. Wie wirkt sich das Maßgeblichkeitsprinzip aus, wenn die steuerrechtlichen Wertansätze höher sind als die handelsrechtlichen Wertansätze (Regelfall) und wie, wenn es umgekehrt ist (Ausnahme)?

Aufgabe 161:

Wie unterscheiden sich die Begriffe „Zuschreibung (Wertaufholung)" und „Zugang"?

Lösung 108:

Ist der steuerrechtliche Wertansatz höher als der handelsrechtliche Wertansatz, so wirkt sich das Maßgeblichkeitsprinzip nicht beschränkend auf die Wahl der Wertansätze aus.
Ist der handelsrechtliche Wertansatz höher als der steuerrechtliche Wertansatz, so kann ersterer auf Grund der Rückwirkung des Maßgeblichkeitsprinzips nicht angesetzt werden. Da im Handelsrecht viele Wahlrechte bestehen, sind die Herstellungskosten auf die steuerrechtliche zulässige Höhe herabzusetzen.

Lösung 161:

Die Zuschreibung stellt eine **Wert**erhöhung bereits vorhandenen Vermögens dar, der Zugang stellt eine **mengen**mäßige Erhöhung des Vermögens dar (Neubeschaffung bzw. -herstellung).

Aufgabe 109:

Es wird von einem Teil der Betriebswirtschaftslehre die Meinung vertreten, daß für die fixen Teile der Gemeinkosten bei der Bewertung des selbst erstellten Umlaufvermögens ein Aktivierungsverbot bestehe. Wie läßt sich diese Meinung begründen?

Aufgabe 162:

Verstößt eine Zuschreibung grundsätzlich gegen das Imparitätsprinzip?

Lösung 109:

Die hauptsächliche Begründung ist folgende: Fixe Kostenbestandteile lassen sich nicht verursachungsgerecht bestimmten Kostenträgern zurechnen. Jede Aufteilung dieser Kostenbestandteile ist also willkürlich und verstößt gegen das Prinzip der Richtigkeit der Bilanz.
Anm. Nach h. M. ist diese kostenrechnerische Auffassung mit den Zielen der Bilanz (sicherer Vermögensausweis) nicht vereinbar. Für die Steuerbilanz verlangen darüber hinaus die EStR eine Aktivierungspflicht.

Lösung 162:

Die Zuschreibung verstößt gegen das Imparitätsprinzip, wenn sie **Wertsteigerungen** erfassen soll. Insoweit ist sie also grundsätzlich unzulässig. Sollen mit der Zuschreibung jedoch zu hohe Abschreibungen der Vergangenheit rückgängig gemacht werden, so handelt es sich ausschließlich um die Korrektur früherer falscher Entscheidungen. In diesem Fall ist die Zuschreibung **grundsätzlich** zulässig.
Anm. Die besonderen steuerrechtlichen Einschränkungen sind zu beachten. In der Handelsbilanz sind Zuschreibungen zwecks Korrektur nach h. M. zulässig.

Aufgabe 110:

Während die AHK Wertkategorien darstellen, die in Handels- und Steuerbilanz wichtig sind, hat der Teilwert (direkt) nur Bedeutung für die Bewertung in der Steuerbilanz. Wie ist er definiert?

Aufgabe 163:

Bei der Bewertung des Umlaufvermögens ist besonders die Bewertung der Vorräte (Roh-, Hilfs- und Betriebsstoffe, Halb- und Fertigfabrikate sowie Waren) wegen der oft großen Menge mit erheblichem Arbeitsaufwand verbunden. Gibt es vereinfachende Verfahren zur Bewertung der Vorräte?

Lösung 110:

Nach § 6 I EStG (fast gleichlautend § 10 BewG) ist der Teilwert definiert als der Betrag, den ein Erwerber des ganzen Betriebes im Rahmen des Gesamtkaufpreises für das einzelne Wirtschaftsgut ansetzen würde; dabei ist davon auszugehen, daß der Erwerber den Betrieb fortführen würde.

Lösung 163:

Grundsätzlich gilt auch für die Vorräte das Prinzip der Einzelbewertung. Werden die Vorräte **nicht** getrennt nach unterschiedlichen Anschaffungskosten gelagert (Regelfall), so ist in Handels- und Steuerbilanz grundsätzlich eine Sammelbewertung oder eine Gruppenbewertung (synonyme Begriffe) bzw. eine Festwert-Bewertung möglich.

Aufgabe 111:

In der gesetzlichen Definition des Teilwertes sind drei Fiktionen enthalten, die die praktische Ermittlung des Teilwertes unmöglich machen. Welche sind dies?

Aufgabe 164:

Für die Sammelbewertung existieren verschiedene Methoden. Steuerrechtsprechung und Finanzverwaltung lehnen diese Methoden grundsätzlich ab oder knüpfen ihre Anwendung an die Erfüllung besonderer Bedingungen. Von ihnen wird prinzipiell nur die sog. Durchschnittsmethode akzeptiert. Welche Gründe kann diese ablehnende Haltung haben?

Lösung 111:

a) Ein **fiktiver** Käufer soll den Gesamtwert des Betriebes ermitteln.
b) Die Ermittlung des Gesamtwertes muß, da der Betrieb fortgeführt werden soll, auch unter Berücksichtigung der **zukünftigen Entwicklung** erfolgen.
c) Der fiktive Käufer soll den Gesamtkaufpreis auf die einzelnen Wirtschaftsgüter **verteilen**.

Lösung 164:

Die verschiedenen Methoden führen zu verschiedenen Ergebnissen, also zu verschiedenen Werten für dieselben Vorräte. Damit ist es möglich, den Periodengewinn zu manipulieren (Gewinnverlagerungen). Willkürliche Gewinnverlagerungen verstoßen aber gegen das Prinzip der periodengerechten Gewinnermittlung und damit Besteuerung.

Aufgabe 112:

Welches Problem wird durch die Notwendigkeit eines „fiktiven Käufers" aufgeworfen und wie ist es theoretisch zu lösen?

Aufgabe 165:

Bei der Sammelbewertung ergeben sich für die Bewertung des Endbestandes grundsätzlich drei Möglichkeiten, den „Anschaffungs- oder Herstellungspreis" der Vorräte zu ermitteln (AHK = Menge × Anschaffungs- oder Herstellungspreis). Welche sind dies?
Anm. Im folgenden soll die Herstellungssituation vernachlässigt werden.

Lösung 112:

Jede Bewertung, also auch die Gesamtbewertung von Betrieben ist subjektiv. Wenn der Bewertende nicht einmal existiert, so lassen sich seine Bewertungsmaßstäbe überhaupt nicht feststellen. Schon bei einem tatsächlich existierenden Käufer ist es schwierig, dessen Bewertungsmaßstäbe zu ergründen. Eine theoretische Lösung dieser Frage ist unmöglich.

Lösung 165:

Der „Preis" ist das gewogene Mittel sämtlicher Anschaffungskosten.
Man ordnet die Vorräte nach einer zeitlichen Reihenfolge (Verbrauchsfolgefiktion). Der „Preis" ist jeweils der Anschaffungspreis der zuerst/zuletzt beschafften Vorräte.
Man ordnet die Vorräte nach der Höhe der Anschaffungspreise. Der „Preis" ist jeweils der Anschaffungspreis der am teuersten/billigsten beschafften Vorräte.

Aufgabe 113:

Welches Problem wird durch die Einbeziehung zukünftiger Entwicklungen aufgeworfen und wie läßt es sich theoretisch lösen?

Aufgabe 166:

Bei der Wahl einer bestimmten Sammelbewertungsmethode ist jeweils deren generelle und spezielle Anwendungsmöglichkeit zu prüfen. Wie geschieht das?

Lösung 113:

Durch die Zukunftsbezogenheit der Bewertung kommen Unsicherheitsmomente in die Wertermittlung, da zukünftige Größen nicht sicher zu fassen sind.
Von der Betriebswirtschaftslehre sind zur „Ermittlung des Wertes ganzer Unternehmen" verschiedene Hypothesen und Methoden entwickelt worden (so z. B. die Durchschnittsmethode, die Ertragswertmethode, die Methode der verkürzten Good-Will-Rentendauer u. a.). Schon diese Vielfalt zeigt, daß es keine eindeutige theoretische Lösung gibt.

Lösung 166:

In Handels- und Steuerbilanz (über das Maßgeblichkeitsprinzip) gilt das strenge Niederstwertprinzip. Die Sammelbewertung darf also nicht zu einem höheren Wertansatz führen als ein anderer zulässiger Wertansatz. Ergibt die Prüfung, daß nicht gegen das strenge Niederstwertprinzip verstoßen wird, so ist zu kontrollieren, ob die Bewertungsmethode gegen ein besonderes handels- bzw. steuerrechtliches Verbot verstößt.

Aufgabe 114:

Welches Problem wird durch das Aufteilungserfordernis aufgeworfen und wie ist es theoretisch zu lösen?

Aufgabe 167:

Die Durchschnittsmethode gibt es in verschiedenen Ausprägungen. Welche sind dies?

Lösung 114:

Zur Ermittlung des Teilwertes eines Wirtschaftsgutes muß dessen Teil am Gesamtwert des Unternehmens errechnet werden. Der Gesamtwert ist also auf alle Wirtschaftsgüter aufzuteilen.
Zur theoretischen Lösung existieren zwei Hypothesen:

a) Differenzmethode: Der Teilwert des Wirtschaftsgutes ist die Differenz aus den Gesamtwerten des Unternehmens einmal einschließlich dieses Wirtschaftsgutes, einmal ausschließlich dieses Wirtschaftsgutes. Diese Methode ist theoretisch nicht haltbar, da jedes Wirtschaftsgut einen gewissen „Überwert" hat. Die Summe dieser Überwerte ist größer als der Gesamtwert.
b) Zurechnungsmethode: Mittels eines geeigneten Verteilungsschlüssels wird der Gesamtwert auf die Wirtschaftsgüter verteilt. Da eine verursachungsgemäße Verteilung nicht möglich ist, ist jeder Verteilungsschlüssel willkürlich.

Lösung 167:

Ermittlung des durchschnittlichen Buchbestandswertes:
Das gewogene arithmetische Mittel wird aus den Preisen aller Zugänge **und** des Anfangsbestandes ermittelt.
Ermittlung des durchschnittlichen Beschaffungswertes:
Das gewogene arithmetische Mittel wird aus den Preisen aller Zugänge **ohne** Berücksichtigung des Anfangsbestandes ermittelt.
Skontration: Die durchschnittlichen Anschaffungskosten werden nicht erst am Jahresende, sondern nach jedem Zugang neu ermittelt. Die Abgänge werden jeweils mit diesem Preis bewertet.

Aufgabe 115:

Da die Ermittlung des Teilwertes schon theoretisch nicht möglich ist, kann er erst recht nicht praktisch ermittelt werden. Wie hilft sich die steuerrechtliche Praxis deshalb?

Aufgabe 168:

Für die Bewertung nach einer zeitlichen Verbrauchsfolgefiktion können verschiedene Verbrauchsfolgen fingiert werden. Welche Sammelbewertungsmethoden ergeben sich daraus?

Lösung 115:

Die steuerrechtliche Praxis hält sich an die sog. „Vermutungen" des RFH zur Teilwertermittlung. Diese Vermutungen orientieren sich je nach Bewertungszeitpunkt innerhalb der Nutzungsdauer des Wirtschaftsgutes an anderen Werten, wie etwa den AHK, dem gemeinen Wert oder dem Schrottwert u. a.
Der Unternehmer hat, will er mit dem niedrigeren Teilwert bewerten, eine verschärfte Nachweispflicht der von ihm behaupteten Wertminderung.

Lösung 168:

Die Lifo-Methode (last in – first out) unterstellt, daß die zuletzt beschafften Vorräte zuerst verbraucht werden. Die zuerst gekauften Güter verbleiben also als (fiktiver) Endbestand. Mit ihren Preisen wird bewertet.
Die Fifo-Methode (first in – first out) unterstellt, daß die zuerst beschafften Vorräte zuerst verbraucht werden. Die zuletzt gekauften Güter verbleiben also als (fiktiver) Endbestand. Mit ihren Preisen wird bewertet.

Aufgabe 116:

Die „Vermutungen" über den Teilwert kann der Bilanzierende nur widerlegen, wenn er einen von drei Tatbeständen nachweist. Welche sind dies?

Aufgabe 169:

Welche Methoden gibt es für die Bewertung nach einer Verbrauchsfolgefiktion entsprechend der Preishöhe?

Lösung 116:

Der Bilanzierende (Steuerpflichtige) muß nachweisen, daß
a) entweder die Wiederbeschaffungskosten gesunken sind, oder
b) daß das gesamte Unternehmen „unrentierlich“ ist, oder
c) daß das betreffende Wirtschaftsgut „unrentierlich“ ist.

Lösung 169:

Die Hifo-Methode (highest in – first out) unterstellt, daß die am teuersten beschafften Vorräte als erste verbraucht werden. Der Endbestand wird also immer mit den niedrigsten Preisen bewertet.
Keine praktische Bedeutung hat die Lofo-Methode (lowest in – first out), bei der unterstellt wird, daß die am billigsten beschafften Vorräte als erste verbraucht werden. Der Endbestand wird also immer mit den höchsten Preisen bewertet.
Anm. Daneben ist noch die Kifo-Methode (Konzern in – first out) zu erwähnen, die bei der Vorratsbewertung von Konzernunternehmen denkbar ist. Es wird unterstellt, daß die konzerninternen Vorratslieferungen als erste verbraucht werden. Die Bewertung erfolgt also weitgehend mit konzernexternen Preisen.

Aufgabe 117:

Der Begriff des Teilwertes hat direkt nur Bedeutung für die Steuerbilanz. Kann er indirekt auch die Bewertung in der Handelsbilanz beeinflussen?

Aufgabe 170:

Aus der Lagerkartei ergeben sich für einen bestimmten Artikel folgende Veränderungen in 1977:

1. 1. 77	Anfangsbestand	500 Stück	zu DM 40,–
4. 2. 77	Zugang	200 Stück	zu DM 30,–
1. 3. 77	Zugang	200 Stück	zu DM 20,–
10. 3. 77	Verbrauch	300 Stück	
15. 4. 77	Verbrauch	100 Stück	
3. 12. 77	Zugang	300 Stück	zu DM 50,–
20. 12. 77	Verbrauch	250 Stück	
28. 12. 77	Verbrauch	400 Stück	

Welche Werte ergeben sich zum 31. 12. 77 bei der Durchschnittsbewertung und bei der Lifo-, Fifo- und Hifo-Methode?

Lösung 117:

Über die Rückwirkung des Maßgeblichkeitsprinzips, wie sie etwa in §§ 154 II, 155 III AktG kodifiziert ist, ist ein niedrigerer in der Steuerbilanz angesetzter Wert auch für die Handelsbilanz (meist) verbindlich.

Lösung 170:

Bewertungsmethode	**Wert**
durchschnittlicher Buchbestand	DM 5 625,—
durchschnittlicher Beschaffungswert	DM 5 367,—
Lifo-Methode	DM 6 000,—
Fifo-Methode	DM 7 500,—
Hifo-Methode	DM 3 000,—

Aufgabe 118:

Für das Umlaufvermögen sind in § 155 II, III AktG Werte genannt, die als „beizulegende" Werte zusammengefaßt werden. Welche Wertansätze umfaßt diese Wertkategorie?

Aufgabe 171:

Die in der vorhergehenden Aufgabe ermittelten Werte sind z. T. zulässig, z. T. nicht. Wie ist die Zulässigkeit im einzelnen zu ermitteln?

Lösung 118:

Es handelt sich um folgende Werte:

§ 155 II AktG:	Der Wert, der sich aus dem Börsen- oder Marktpreis am Abschlußstichtag ergibt
§ 155 II AktG:	Beizumessender Wert am Abschlußstichtag
§ 155 III AktG:	Der Wert, der sich nach vernünftiger kaufmännischer Beurteilung am Abschlußstichtag ergibt
§ 155 III AktG:	Zulässiger Wert in der Steuerbilanz

Lösung 171:

Die Wiederbeschaffungskosten am Bilanzstichtag betragen (vermutlich) DM 7500,–. Da bei der Bewertung des Umlaufvermögens das strenge Niederstwertprinzip gilt, muß dieser Wert dann angesetzt werden, wenn die Anschaffungskosten höher sind. Die nach den verschiedenen Sammelbewertungsmethoden ermittelten (fiktiven) Anschaffungskosten sind sämtlich niedriger oder maximal gleich hoch, so daß die Wiederbeschaffungskosten nicht angesetzt werden können. Die (unterschiedlichen) Anschaffungskosten sind nach dem strengen Niederstwertprinzip generell zulässig.

Die Ermittlung der Anschaffungskosten nach der Durchschnittsbewertung ist nach Handels- und Steuerrecht zulässig. Die derart ermittelten Anschaffungskosten können also angesetzt werden. Die Lifo- und Fifo-Methode ist in der Handelsbilanz zulässig, nicht aber in der Steuerbilanz. Hier gilt das spezielle Verbot des Abschn. 36 II EStR. Die Anwendung der Hifo-Methode ist nach h. M. in Handels- und Steuerbilanz unzulässig.

In der Steuerbilanz sind also die nach einer Durchschnittsmethode ermittelten Anschaffungskosten zulässig, während in der Handelsbilanz auch die (höheren) Anschaffungskosten nach der Lifo- bzw. Fifo-Methode angesetzt werden können. Werden in der Praxis tatsächlich sämtliche Werte berechnet, so ist allerdings zweifelhaft, ob dieses Vorgehen nicht gegen das strenge Niederstwertprinzip verstößt.

Aufgabe 119:

Wie ist der Wert, der sich aus dem Börsen- oder Marktpreis am Abschlußstichtag ergibt, zu beschreiben?

Aufgabe 172:

Nach § 40 IV HGB ist die Sammel- oder Gruppenbewertung zulässig, wenn dabei die GoB eingehalten werden. Wann darf danach vom Prinzip der Einzelbewertung abgegangen und eine Sammelbewertung durchgeführt werden?

Lösung 119:

Dieser Wert setzt die Existenz eines Börsen- oder Marktpreises voraus. Je nachdem, ob man den Beschaffungsmarkt oder den Absatzmarkt betrachtet (nicht gesetzlich geregelt, vom Fertigkeitsgrad des Vermögensgegenstandes abhängig), sind Beschaffungsnebenkosten zu addieren oder bei der Veräußerung noch entstehende Aufwendungen zu subtrahieren. Dieser Wert orientiert sich an allgemeinen Marktwerten.

Lösung 172:

Die Sammelbewertung ist zulässig, wenn
a) die Vermögensgegenstände annähernd gleich**wertig** sind, oder wenn
b) die Vermögensgegenstände gleich**artig** sind **und** ein Durchschnittswert bekannt ist.

Anm. Möglichkeit a) verlangt nicht, daß die Vermögensgegenstände gleichartig sind; sie müssen dennoch wichtige gemeinsame Merkmale haben, z. B. zum selben Sortiment gehören.

Aufgabe 120:

Wie ist der „beizumessende“ Wert am Abschlußstichtag zu beschreiben?

Aufgabe 173:

Das Lifo- und das Fifo-Verfahren sind handelsrechtlich grundsätzlich zulässig (§ 155 I, 3 AktG). Demgegenüber ist die Anwendung in der Steuerbilanz eingeschränkt. Welche Bedingungen knüpft die Rechtsprechung an die steuerrechtliche Anwendung der genannten Verfahren?

Lösung 120:

Dieser Wert ist nur anzusetzen, wenn kein Börsen- oder Marktpreis existiert oder nicht feststellbar ist. Er ist durch Korrekturen des jeweiligen unternehmensspezifischen Beschaffungspreises bzw. Verkaufspreises zu ermitteln.
Dieser Wert orientiert sich an den Werten des betreffenden Unternehmens.

Lösung 173:

In der Steuerbilanz ist die Fifo- und die Lifo-Methode verboten, wenn es sich um eine Verbrauchsfolge**fiktion** handelt. Kann das Unternehmen z. B. durch die Art der Lagerung nachweisen, daß die Verbrauchsfolge tatsächlich eingehalten wird, so ist die entsprechende Methode auch zulässig (z. B. bei Durchschieberegalen Fifo-Methode).

Aufgabe 121:

Wie ist der Wert, der sich nach vernünftiger kaufmännischer Beurteilung am Abschlußstichtag ergibt, zu beschreiben?

Aufgabe 174:

Welches Sammelbewertungsverfahren ist in Handels- und Steuerbilanz für die Bewertung leicht verderblicher Waren zulässig und sinnvoll?

Lösung 121:

Dieser Wert ist in einer zwar kaufmännisch vernünftigen, aber doch niedrigen Höhe anzusetzen, die eine Wertänderung durch Wertschwankungen in nächster Zukunft überflüssig macht. Als nächste Zukunft gelten dabei 2 Jahre.

Lösung 174:

Da bei leicht verderblichen Waren tatsächlich die zuerst gekauften Teilbestände zuerst verbraucht werden, ist die Fifo-Methode für eine Sammelbewertung zulässig und sinnvoll. Die anderen Verbrauchsfolgefiktionen sind unsinnig und verstoßen somit gegen die GoB.

Aufgabe 122:

Wie ist der „zulässige Wert in der Steuerbilanz" zu beschreiben?

Aufgabe 175:

Neben den Sammelbewertungsverfahren wird aus verschiedenen Gründen eine Bewertung eiserner Bestände mit einem festen Wert (Festbewertung) angestrebt. Inwieweit ist die Festbewertung handels- und steuerrechtlich zulässig?

Lösung 122:

Dieser Wertbegriff soll sicherstellen, daß steuerrechtlich zulässige niedrigere Werte auch in der Handelsbilanz der Aktiengesellschaft angesetzt werden können. Das wäre ohne diese Vorschrift nicht möglich (Fixwertprinzip). Es ist dabei nicht auf den tatsächlich zulässigen Wert in der Steuerbilanz abzustellen (dieser steht oft erst Jahre später nach einer steuerlichen Betriebsprüfung fest), sondern auf einen für zulässig gehaltenen Wert.
Anm. Eine analoge Regelung gilt für das Anlagevermögen (§ 154 II AktG).

Lösung 175:

Der Ansatz von Festwerten ist bei Roh-, Hilfs- und Betriebsstoffen (sowie bei Gütern des beweglichen **Anlage**vermögens) zulässig, wenn der Bestand in seiner Größe, seinem Wert und seiner Zusammensetzung nur geringen Schwankungen unterliegt.
Anm. Die Festbewertung dient hauptsächlich der Vereinfachung der Bewertung. Zum Ausgleich von Preisschwankungen darf die Festbewertung nicht durchgeführt werden. Der Festwert muß fortgeführt werden, wenn sich der Wert des eisernen Bestandes stark ändert (nach den EStR bei Änderungen von 10 % und mehr). Die Fortschreibung erfolgt durch Einbuchung von **Zugängen.**

Aufgabe 123:

Bei der handelsrechtlichen Bewertung des Anlagevermögens spricht man häufig vom sog. „gemilderten Niederstwertprinzip". Wie kommt es zu diesem Ausdruck?

Aufgabe 176:

Für die Bewertung der Passivposten gelten in analoger Form die gleichen Grundsätze wie für die Bewertung der Aktivposten. Da auf der Passivseite jedoch (Geld-)Kapitalwerte bilanziert werden, ist die Bewertung im allgemeinen einfacher. Bei welcher Passivposition werden die größten Bewertungsprobleme auftreten?

Lösung 123:

Von mehreren zulässigen Wertansätzen darf oder muß der niedrigste angesetzt werden. Durch dieses Wahlrecht („darf“) ist das Niederstwertprinzip gemildert. Ein Wahlrecht liegt aber im allgemeinen nur vor, wenn die Wertminderung **nicht** von Dauer ist bzw. wenn der niedrigere Wert nicht die (fortgeführten) AHK sind. Letztere sind die absolut obere Wertgrenze.

Lösung 176:

Die größte Schwierigkeit macht meistens die Bewertung der Rückstellungen, da sie für zukünftige Verpflichtungen gebildet werden. Diese lassen sich jedoch nur mehr oder weniger genau schätzen.

Aufgabe 124:

Es ist ein Entscheidungsschema für die handelsrechtliche Bewertung des Anlagevermögens einer Aktiengesellschaft darzustellen, das die alternativen Werte:

AHK Anschaffungs- oder Herstellungskosten
WBK (niedrigere) Wiederbeschaffungs- oder Wiederherstellungskosten
StBW (niedrigerer) zulässiger Wert der Steuerbilanz

enthält und auf die Dauer der Wertminderung abstellt.

Aufgabe 177:

Wie sind die Rückstellungen für Pensionszusagen (Pensionsrückstellungen) in Handels- und Steuerbilanz zu berechnen?

Lösung 124:

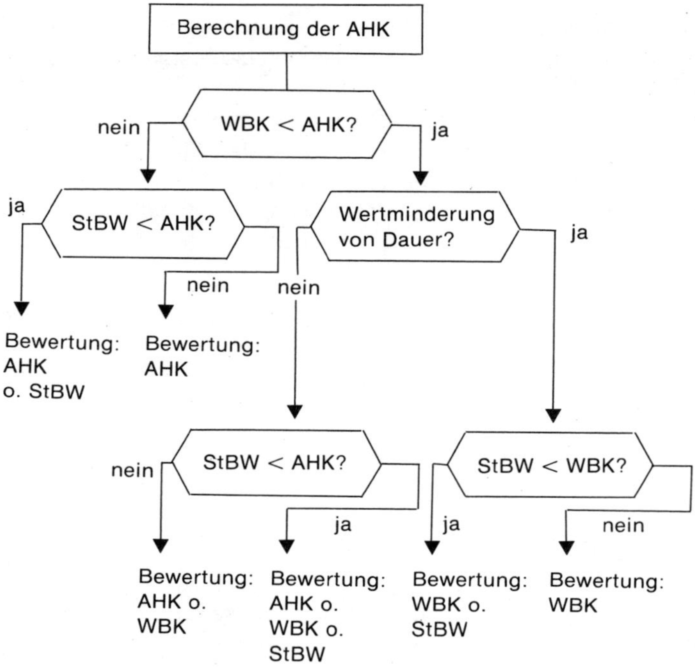

Lösung 177:

Die Pensionsrückstellung soll in dem Jahr, in dem der Versorgungsfall eintritt, dem Barwert der zukünftigen Pensionszahlungen entsprechen. Dieser Betrag muß vom Zeitpunkt der Pensionszusage an angesammelt werden. Der Barwert ist versicherungsmathematisch zu errechnen.

Aufgabe 125:

Bei der handelsrechtlichen Bewertung des Umlaufvermögens gilt das „strenge Niederstwertprinzip". Was ist darunter zu verstehen?

Aufgabe 178:

Wie hoch ist der Betrag, der jährlich in die Pensionsrückstellung eingestellt werden darf?

Lösung 125:

Von mehreren der genannten Wertansätze **muß** der niedrigste angesetzt werden. Es existiert kein Wahlrecht.

Anm. Für den Wert nach vernünftiger kaufmännischer Vorsicht und den in der Steuerbilanz zulässigen niedrigeren Wert besteht jedoch ein Wahlrecht. Insofern kann von einer Durchbrechung des strengen Niederstwertprinzips gesprochen werden. Allerdings ist beim ersten Wert zum Bilanzstichtag noch gar keine Wertminderung eingetreten, beim zweiten Wert handelt es sich letztlich überhaupt nicht um eine Wertminderung.

Lösung 178:

Die jährliche Zuführung in die Pensionsrückstellung darf maximal so hoch sein wie die Differenz aus dem Gegenwartswert am Schluß des Wirtschaftsjahres und am Schluß des vorangegangenen Wirtschaftsjahres. Der Gegenwartswert ist die Differenz zwischen dem Barwert der künftigen Pensionszahlungen und dem Barwert der gleichbleibenden Jahresbeträge, die nach Schluß des Wirtschaftsjahres bis zum Eintritt des Versorgungsfalles aufzubringen wären, um den Barwert der künftigen Pensionszahlungen vom Zeitpunkt der Pensionszusage bis zum Eintritt des Versorgungsfalles anzusammeln.

Aufgabe 126:

Es ist ein Entscheidungsschema für die handelsrechtliche Bewertung des Umlaufvermögens einer Aktiengesellschaft zu entwickeln, das folgende Wertansätze enthält:

AHK Anschaffungs- oder Herstellungskosten
BMP der Wert, der sich aus dem Börsen- oder Marktpreis am Abschlußstichtag ergibt
WaA beizumessender Wert am Abschlußstichtag
WvkB Wert nach vernünftiger kaufmännischer Beurteilung am Abschlußstichtag
StBW zulässiger Wert in der Steuerbilanz

Aufgabe 179:

Die Höhe der jährlichen Zuführungsbeträge hängt wesentlich von der Höhe des Abzinsungszinsfußes ab. Wie ist dieser Zusammenhang zu beschreiben?

Lösung 126

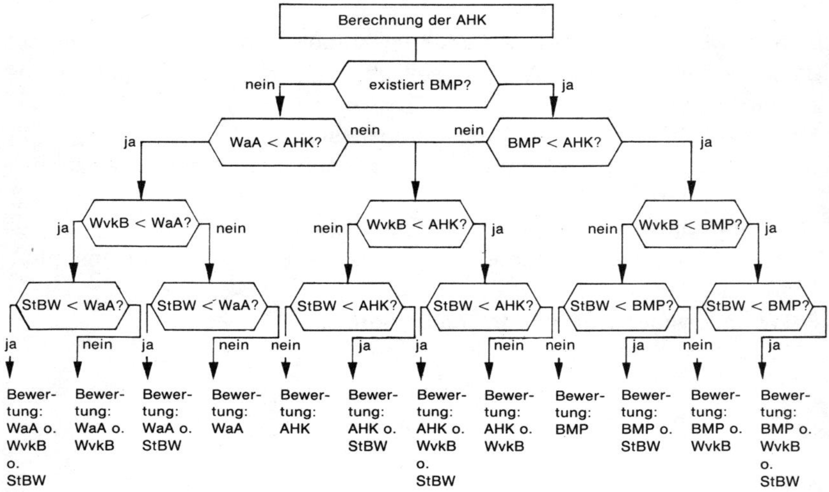

Lösung 179:

Je höher der Abzinsungszinsfuß ist, desto niedriger ist der jährlich in die Pensionsrückstellung einzustellende Betrag.

Aufgabe 127:

In der Steuerbilanz gilt durchweg das gemilderte Niederstwertprinzip. Es ist die zulässige Bewertung in den einzelnen Vermögensteilen (Anlagevermögen, Umlaufvermögen) darzustellen.

Aufgabe 180:

Damit die jährlichen Zuführungen zur Pensionsrückstellung nicht willkürlich hoch angesetzt werden können, macht das EStG Vorschriften über die Höhe des Zinsfußes. Wie lauten diese?

Lösung 127:

nicht abnutzbares Anlage- und Umlaufvermögen:	Bewertung zu AHK oder zum niedrigeren Teilwert
abnutzbares Anlagevermögen:	Bewertung zu um AfA geminderten AHK oder zum niedrigeren Teilwert

Anm. Zwischenwerte sind nach h. M. und nach der Rechtsprechung zulässig.

Lösung 180:

Gem. § 6a III EStG muß der Abzinsungszinsfuß 5,5 % betragen.
Anm. In der Handelsbilanz existiert eine derartige Begrenzung nicht. Hier kann die Zuführung durch den Ansatz eines kleineren Zinsfußes (z.B. 3 %) höher angesetzt werden.

Aufgabe 128:

Eine Aktiengesellschaft erwirbt Wertpapiere zu Anschaffungskosten von DM 100 000,–. Diese Wertpapiere sind mit den Anschaffungskosten aktiviert worden. Am folgenden Bilanzstichtag beträgt der Börsenkurs nur noch DM 90 000,–. Zum Zeitpunkt der Bilanzerstellung hat sich der Börsenkurs jedoch wieder auf DM 110 000,– erholt. Die Kurserholung war am Bilanzstichtag schon abzusehen. Welche Wertansätze sind in der Handelsbilanz erlaubt, wenn die Wertpapiere

a) im Anlagevermögen
b) im Umlaufvermögen

gehalten werden?

Aufgabe 181:

Verhindert die Rückwirkung des Maßgeblichkeitsprinzips, daß in der Handelsbilanz mit einem kleineren Zinsfuß diskontiert wird als in der Steuerbilanz?

Lösung 128:

Anlagevermögen: Da der Kursverlust nicht von Dauer ist, besteht ein Wahlrecht zwischen den Anschaffungskosten und dem niedrigeren Börsenkurs am Bilanzstichtag (gemildertes Niederstwertprinzip). Der Wert von DM 110 000,– ist immer unzulässig, da er höher ist als die Anschaffungskosten.
Umlaufvermögen: Hier gilt das strenge Niederstwertprinzip: Es ist der Börsenkurs von DM 90 000,– anzusetzen. Die Dauer der Wertminderung ist im Umlaufvermögen ohne Bedeutung.

Lösung 181:

Das Maßgeblichkeitsprinzip bzw. dessen Rückwirkung bezieht sich nur auf die Höhe der Pensionsrückstellung, nicht auf die Höhe der Zuführung zur Pensionsrückstellung. Solange der Gesamtbetrag der Pensionsrückstellung in der Steuerbilanz höchstens gleich hoch ist wie in der Handelsbilanz, kann z. B. in der Handelsbilanz mit 3 % diskontiert werden.

Aufgabe 129:

Die Aktiengesellschaft hat die genannten Wertpapiere im Umlaufvermögen. Sie will diese in der Handelsbilanz mit DM 90 000,– und in der Steuerbilanz mit DM 100 000,– bewerten. Ist das möglich?

Aufgabe 182:

Wenn der Versorgungsfall eintritt, ist eine eventuell gebildete Pensionsrückstellung pro rata temporis wieder aufzulösen. Wie geschieht das?

Lösung 129:

In der Steuerbilanz gilt das gemilderte Niederstwertprinzip auch für die Bewertung des Umlaufvermögens. Da in der Handelsbilanz jedoch das strenge Niederstwertprinzip gilt, ist dort nur der Ansatz von DM 90 000,– möglich. Über das Prinzip der Maßgeblichkeit ist das steuerbilanzielle gemilderte Niederstwertprinzip praktisch außer Kraft gesetzt. Auch in der Steuerbilanz ist der Wert von DM 90 000,– anzusetzen. Das Prinzip der Maßgeblichkeit kommt im Umlaufvermögen voll zum Tragen, da die steuerrechtliche Bewertungsvorschrift nicht zwingend ist, sondern ein Wahlrecht gibt.

Lösung 182:

Da die Pensionszahlungen zwar Ausgaben der Periode, nicht aber Aufwand darstellen, wird die Rückstellung jeweils um die Höhe der Zahlungen verringert (buchhalterische Methode). Es ist aber auch zulässig (versicherungsmathematische Methode), analog zur Bildung die Barwertdifferenz von der Rückstellung gewinnerhöhend abzubuchen und die Pensionszahlungen als Aufwand zu buchen (hauptsächlich in der Steuerbilanz).

Aufgabe 130:

Ist es grundsätzlich möglich, in der Steuerbilanz für das Umlaufvermögen niedrigere Werte anzusetzen als in der Handelsbilanz?

Aufgabe 183:

Steuerschulden können in Rückstellungen oder in sonstige Verbindlichkeiten eingestellt werden. Wovon hängt eine Zuordnung ab?

Lösung 130:

Auf Grund des strengen Niederstwertprinzips kann der Handelsbilanzwert nicht kleiner sein als der der Steuerbilanz, sofern der Steuerbilanzwert tatsächlich auf Wertminderungen basiert. Ist er aus sonstigen Gründen (steuerrechtliche Sondervorschriften) niedriger, so ist er auf Grund der Rückwirkung des Maßgeblichkeitsprinzips in die Handelsbilanz zu übernehmen. Für die Aktiengesellschaft gibt § 155 III AktG die Möglichkeit hierzu.

Lösung 183:

Sind die Steuern rechtskräftig veranlagt (z. B. Gewerbesteuerabschlußzahlungen früherer Jahre) oder handelt es sich um Vorauszahlungen, die im alten Jahr fällig waren, aber erst im neuen Jahr entrichtet werden oder handelt es sich um selbst zu berechnende Abschlußzahlungen (MWSt), so sind Höhe und Fälligkeitstermin exakt bestimmt: Es handelt sich um sonstige Verbindlichkeiten. Lassen sich die Steuerschulden jedoch nur schätzen (z. B. Gewerbesteuer für das abgelaufene Jahr), so ist eine Rückstellung zu bilden.

Aufgabe 131:

Wie lauten die aktien- und steuerrechtlichen Bilanzierungs- und Bewertungsvorschriften betreffs des Firmenwerts?

Aufgabe 184:

Steuerrückstellungen sind in Handels- und Steuerbilanz nur zulässig, soweit die Steuern Aufwand bzw. Betriebsausgaben darstellen. Um welche Steuern handelt es sich im wesentlichen?

Lösung 131:

Handelsbilanz (AktG):	originärer Firmenwert	Aktivierungsverbot
	derivativer Firmenwert	Aktivierungswahlrecht
	Der aktivierte derivative Firmenwert ist mit mindestens 20 % p. a. abzuschreiben.	
Steuerbilanz:	originärer Firmenwert	Aktivierungsverbot
	derivativer Firmenwert	Aktivierungspflicht
	Der Ansatz regelmäßiger AfA ist verboten. Eine Teilwertabschreibung ist möglich.	

Lösung 184:

a) Körperschaftsteuer: Da die KSt zwar als Betriebsausgabe anerkannt, aber nicht abzugsfähig ist, sind für diese Schulden in der Handelsbilanz Rückstellungen zu bilden, nicht aber in der Steuerbilanz. Gleiches gilt für die Vermögensteuer der Kapitalgesellschaft.
b) Gewerbesteuer
c) Umsatzsteuer: nur, soweit es sich um Beträge nach dem alten UStG handelt. Die MWSt ist in ihrer Höhe genau zu berechnen und stellt eine Verbindlichkeit dar.

Aufgabe 132:

Der RFH hat bezüglich des Firmenwertes die sog. „Einheitswerttheorie" aufgestellt. Was ist darunter zu verstehen und wie ist diese betriebswirtschaftlich zu beurteilen?

Aufgabe 185:

Wie wird die Höhe der Rückstellung für Garantieverpflichtungen berechnet?

Lösung 132:

Erklärung: Der Firmenwert bleibt trotz möglicherweise wechselnder Umstände ein und dasselbe Wirtschaftsgut. Eine Trennung von übernommenem und neu geschaffenem Firmenwert ist deshalb nicht möglich.
Betriebswirtschaftliche Beurteilung: Durch das AfA-Verbot für den derivativen Firmenwert (das mit der Einheitswerttheorie begründet wird) ist nach einiger Zeit praktisch ein originärer Firmenwert aktiviert, obwohl dies steuerrechtlich verboten ist. Denn der derivative Firmenwert schwindet im Laufe der Zeit. In dieser Zeit wird ein originärer Firmenwert aufgebaut. Nach betriebswirtschaftlichen Kriterien müßte die aktienrechtliche Regelung des Abschreibungszwangs in die Steuerbilanz übernommen werden.

Lösung 185:

Es können Einzel- oder Pauschalrückstellungen gebildet werden. Ihre Höhe kann nur geschätzt werden. In der Regel geht das Unternehmen von der Höhe des Umsatzes aus, der mit Garantiezusagen belastet ist. Der durchschnittliche Belastungsfaktor der Vergangenheit ist dann der Bemessungsmultiplikator für die Rückstellung. Von dieser normierten Größe kann im Einzelfall – bei glaubhaftem Nachweis – abgewichen werden.

Aufgabe 133:

Welcher Zweck wird mit dem Ansatz von Abschreibungen in der Bilanz bzw. in der GuV grundsätzlich verfolgt?

Aufgabe 186:

Mit welchem Wert ist die Garantierückstellung anzusetzen, wenn gegenüber einer Versicherung Anspruch auf Deckung eventueller Schäden besteht?

Lösung 133:

Die Abschreibung ist ein Buchungsvorgang, mit dem durch Aktivminderung (direkte Abschreibung) oder Passiverhöhung (indirekte Abschreibung) der in einer Periode aufgetretene Wertverzehr von Vermögensgegenständen (bzw. Wirtschaftsgütern), deren Nutzung sich über mehr als eine Periode erstreckt, als Aufwand in die GuV übertragen wird.
Anm. In analoger Weise werden zur periodengerechten **Kosten**ermittlung in der Kostenrechnung (kalkulatorische) Abschreibungen angesetzt.

Lösung 186:

Der Versicherungsanspruch ist entweder zu aktivieren, die Rückstellung bleibt unverändert (Bruttoausweis) oder es wird nur die Differenz zwischen Anspruch und Rückstellung bilanziert (Nettoausweis).

Aufgabe 134:

Im Handelsrecht (insbesondere AktG) ist die Definition der Abschreibungen erheblich kürzer. Von welchem Erfordernis in der genannten betriebswirtschaftlichen Definition wird im AktG völlig abgesehen?

Aufgabe 187:

Die Höhe von Rückstellungen für drohende Verluste aus schwebenden Geschäften kann nur geschätzt werden. Müssen oder dürfen diese Rückstellungen in Handels- und Steuerbilanz gebildet werden?

Lösung 134:

Eine **wertverzehr-gerechte** Verteilung der Abschreibungen ist grundsätzlich nicht verlangt. Die AHK (Ausgabe) sind durch **plan**mäßige Abschreibungen zu mindern. Ein Abschreibungsplan, der jedoch augenscheinlich den Wertverzehr überhaupt nicht berücksichtigt, verstößt gegen die GoB und ist unzulässig, es sei denn, daß er durch andere rechtliche Vorschriften gedeckt ist.

Lösung 187:

Nach den GoB müssen Rückstellungen für drohende Verluste aus schwebenden Geschäften gebildet werden, wenn der Verlust die abgelaufene Periode betrifft (§ 152 VII AktG erwähnt diese Rückstellungen ausdrücklich). In der Steuerbilanz besteht nach h. M. ein Wahlrecht.

Aufgabe 135:

Die Terminologie ist – wie häufig – auch auf dem Gebiet der Abschreibung in Handels- und Steuerrecht unterschiedlich. Wie lassen sich die handels-(aktien-)rechtlichen und die steuerrechtlichen Begriffe systematisch gegenüberstellen?

Aufgabe 188:

Rückstellungen für unterlassene Aufwendungen für Instandhaltung oder Abraumbeseitigung sind in Handels- und Steuerbilanz unter gewissen Voraussetzungen möglich. Wie könnte etwa die Nettoveränderung einer Rückstellung für unterlassene Abraumbeseitigung berechnet werden?

Lösung 135:

Handelsrecht	**Steuerrecht**
planmäßige Abschreibung § 154 I AktG	Absetzung für Abnutzung (AfA) und Ab- setzung für Substanzverringerung (AfS § 7 EStG
außerplanmäßige Abschreibung auf den beizulegenden Wert, § 154 II, 1 Nr. 1 AktG	Absetzung für außergewöhnliche tech- nische oder wirtschaftliche Abnutzun (AfaA) § 7 I EStG Teilwertabschreibung, § 6 EStG
außerplanmäßige Abschreibung auf den steuerlich zulässigen Wert § 154 II, 1 Nr. 2 AktG	Sonderabschreibung (neben AfA) erhöhte Absetzung (statt AfA)

Lösung 188:

Zuführung	zur Rückstellung: Insgesamt im Jahr angefallene Abraummenge, etwa geschätzt nach der geförderten oder verkauften Mineralmenge, bewertet mit den Beseitigungskosten pro m^3 oder t.
Auflösung	der Rückstellung: Im Laufe des Jahres beseitigte Abraummenge, bewertet mit den Beseitigungskosten pro m^3 oder t. Bei Fremdbeseitigung Rechnungsbetrag.
Differenz	= Veränderung der Rückstellung.

Aufgabe 136:

Das schwierigste Problem der Abschreibung ist die Berechnung der jährlichen Abschreibungsbeträge. Welche Größen sind bei der Aufstellung des Abschreibungsplanes zu bestimmen?

Aufgabe 189:

Die Bildung bzw. Auflösung der Rücklagen und damit ihre Höhe, ist je nach Zweck unterschiedlich. Welche Beträge – die im AktG aufgezählt sind – können in die gesetzliche Rücklage der Aktiengesellschaft eingestellt werden?

Lösung 136:

a) die AHK
b) die wirtschaftliche Nutzungsdauer
c) die Abschreibungsmethode
d) der Restwert (Verkaufserlös) oder Schrottwert

Lösung 189:

a) Zuweisungen aus dem Jahresüberschuß
b) Zuweisungen aus dem Aktienagio
c) Zuzahlungen durch Aktionäre gegen Gewährung von Vorzugsrechten
d) Zuführung im Zusammenhang mit einer vereinfachten Kapitalherabsetzung
e) Beschleunigte Auffüllung bei Beherrschungs-, Gewinnabführungs- und Teilgewinnabführungsverträgen

Aufgabe 137:

Die Ermittlung der AHK ist ein grundsätzliches Bewertungsproblem. Es wurde bereits an anderer Stelle behandelt. Welche Faktoren beeinflussen die genannte wirtschaftliche Nutzungsdauer?

Aufgabe 190:

Die (Teil-)Auflösung der gesetzlichen Rücklage, soweit sie 10 % (oder nach Satzung einen höheren Prozentsatz) des Grundkapitals nicht übersteigt, ist nur aus zwei im Gesetz genannten Gründen möglich. Welche sind das?

Lösung 137:

Die wirtschaftliche Nutzungsdauer ist der Zeitraum, in dem es wirtschaftlich sinnvoll ist, eine Anlage zu nutzen (im Gegensatz dazu die meist längere technische Nutzungsdauer). Sie ist nur durch Schätzungen zu bestimmen (Problematik des optimalen Ersatzzeitpunktes), die folgende Faktoren zu berücksichtigen haben:

Technische Entwertung infolge Verschleißes

Wirtschaftliche Entwertung infolge technischen Fortschritts, Nachfrageverschiebungen u. ä.

Vertragliche Begrenzung der Nutzungsdauer (z. B. Konzession)

Lösung 190:

a) zum Ausgleich eines Jahresfehlbetrages, wenn alle freien Rücklagen sowie ein eventueller Gewinnvortrag bereits zur Verlustdeckung herangezogen wurden.

b) zum Ausgleich eines Verlustvortrages, wenn ein eventueller Jahresüberschuß und alle freien Rücklagen bereits zur Verlustdeckung herangezogen wurden.

Anm. In beiden Fällen besteht kein Zwang zur Auflösung von Rücklagen. Die Auflösung der Rücklagen ist ein rein buchmäßiger Vorgang. Finanzielle Mittel, etwa zur Gewinnausschüttung, stehen dadurch nicht zur Verfügung.

Anm. Der „Sonderposten mit Rücklageanteil" gehört nicht zu den aufzulösenden freien Rücklagen.

Aufgabe 138:

Aus der Sicht des Vorsichtsprinzips wird der Unternehmer die wirtschaftliche Nutzungsdauer eher zu kurz als zu lang schätzen. Das steuerrechtliche Prinzip der periodengerechten Gewinnermittlung würde damit jedoch nicht in Einklang stehen. Wie verhindert der Steuergesetzgeber eine (evtl. willkürliche) Unterschätzung der wirtschaftlichen Nutzungsdauer?

Aufgabe 191:

Die freien Rücklagen sind offene Rücklagen, deren Bildung und Auflösung weitgehend in das Ermessen der Gesellschaftsorgane gestellt ist. Wer bestimmt über die Zuweisungen in die freien Rücklagen?

Lösung 138:

Für die Bemessung der AfA werden von der Finanzverwaltung die „betriebsgewöhnlichen Nutzungsdauern" von abnutzbaren Wirtschaftsgütern des Anlagevermögens geschätzt und in den sog. „AfA-Tabellen" (Anhang zu den EStR) publiziert. Diese normierten Nutzungsdauern sind bei der AfA anzusetzen, es sei denn, der Bilanzierende weist eine andere Nutzungsdauer nach. Verkürzte Nutzungsdauern sind etwa bei Mehrschichtbetrieb möglich.
Anm. Aus Vereinfachungsgründen kann bei der Anschaffung oder Herstellung (in Handels- und Steuerbilanz) in der ersten Jahreshälfte die wirtschaftliche Nutzungsdauer mit einem vollen Jahr begonnen werden; bei der Anschaffung oder Herstellung in der zweiten Jahreshälfte kann die wirtschaftliche Nutzungsdauer mit einem halben Jahr begonnen werden.

Lösung 191:

Nach § 58 II AktG dürfen Vorstand und Aufsichtsrat bis zur Hälfte eines um einen Verlustvortrag und die Zuführung zur gesetzlichen Rücklage verminderten Jahresüberschusses in die freie Rücklage einstellen, es sei denn, sie sind durch die Satzung zur Zuführung eines größeren Teiles berechtigt (nur möglich, wenn die gesamten freien Rücklagen nicht größer sind als die Hälfte des Grundkapitals). Die Hauptversammlung bestimmt über die Verwendung der zweiten Überschußhälfte.

Aufgabe 139:

Die Behandlung des Schrottwertes ist in Handels- und Steuerbilanz unterschiedlich. Wie beeinflußt sein Ansatz die Abschreibungsbeträge und wann ist er grundsätzlich anzusetzen?

Aufgabe 192:

Welcher betriebswirtschaftliche Vorgang verbirgt sich hinter der Bildung und Auflösung von Rücklagen?

Lösung 139:

Setzt man einen Schrottwert (= Restbuchwert am Ende der wirtschaftlichen Nutzungsdauer) an, so verringert sich die Summe der Abschreibungen auf AHK – Schrottwert. In der Handelsbilanz kann ein Schrottwert zwar grundsätzlich angesetzt werden, aus Gründen der Vorsicht (Schätzung des Schrottwertes schwierig) sollte er jedoch nur angesetzt werden, wenn er gegenüber den AHK ins Gewicht fällt. Diese Regelung ist für die Steuerbilanz in § 7 I EStG kodifiziert. Nach der Rechtsprechung ist ein Schrottwert grundsätzlich nicht anzusetzen, es sei denn, es handelt sich um Wirtschaftsgüter großen Gewichtes oder aus wertvollem Material (z. B. Schiffe). In diesen Fällen besteht ein Wahlrecht (bestr.).

Lösung 192:

Die Bildung bzw. Auflösung von Rücklagen ist ein rein buchtechnischer Vorgang. Betriebswirtschaftlich zeigt die Bildung von Rücklagen, daß (im allgemeinen) finanzielle Mittel im Unternehmen zurückbehalten werden sollen (z. B. Gewinnteile, Aktienagio). Eine Auflösung zeigt, daß eigene Finanzmittel das Unternehmen verlassen sollen (z. B. Ausschüttung ohne entsprechenden Jahresüberschuß).

Aufgabe 140:

Ist der Ansatz des Schrottwertes nach betriebswirtschaftlichen Kriterien sinnvoll?

Aufgabe 193:

Was versteht man unter stillen Rücklagen (stillen Reserven) i. w. S.?

Lösung 140:

Aus betriebswirtschaftlicher Sicht soll die Summe der Abschreibungen den Wertverzehr als Aufwand verteilen. Da der Schrottwert zu einem Veräußerungserlös führt, fällt er nicht unter den Wertverzehr. Sein Ansatz ist also betriebswirtschaftlich sinnvoll. Setzt man ihn nicht an, so wird der Betriebserfolg durch zu hohe Abschreibungen zu klein und erst bei der Veräußerung ein betriebsfremder Ertrag realisiert.

Lösung 193:

Stille Rücklagen sind Eigenkapitalteile, deren Existenz nicht aus der Bilanz zu ersehen ist, und zwar entweder, weil die Eigenkapitalteile und die ihnen entsprechenden Vermögenswerte nicht in der Bilanz enthalten sind (stille Rücklagen i. e. S.) oder weil sie in Fremdkapitalposten versteckt sind (versteckte Rücklagen).

Anm. Stille Rücklagen i. e. S. können nur bei Bewertungsmaßnahmen entstehen, wenn für den entsprechenden Vermögensgegenstand (Wirtschaftsgut) Bilanzierungspflicht oder -wahlrecht besteht. Der originäre Firmenwert z. B. stellt auch einen Vermögenswert dar, der nicht bilanziert ist. Da für ihn aber ein Aktivierungsverbot besteht, existiert nach dieser Definition keine stille Rücklage.

Aufgabe 141:

Nachdem die Abschreibungssumme (AHK bzw. AHK – Schrottwert) und die wirtschaftliche Nutzungsdauer bestimmt sind, ist die Methode der Verteilung der Abschreibungssumme auf die einzelnen Perioden (Abschreibungsmethode) zu ermitteln. Welche Abschreibungsmethoden können grundsätzlich angewendet werden?

Aufgabe 194:

Welche Beispiele lassen sich finden für die Bildung
a) stiller Rücklagen i. e. S.?
b) versteckter Rücklagen?

Lösung 141:

a) Zeitabschreibung (Basis der Abschreibung ist die wirtschaftliche Nutzungsdauer):
   lineare Abschreibung
   degressive Abschreibung
     arithmetisch-degressive (=digitale) Abschreibung
     geometrisch-degressive Abschreibung
   progressive Abschreibung
     arithmetisch-progressive Abschreibung
     geometrisch-progressive Abschreibung
b) Leistungsabschreibung (Basis der Abschreibung ist die Gesamtleistung)

Lösung 194:

Stille Rücklagen i. e. S. können entstehen
  durch Unterbewertung von Vermögensgegenständen
  durch Nichtaktivierung aktivierungsfähiger Vermögensgegenstände
  durch Nichtvornahme möglicher Zuschreibungen
Versteckte Rücklagen entstehen besonders
  durch überhöhte Rückstellungsbildung

Aufgabe 142:

Wie lassen sich die verschiedenen Abschreibungsmethoden kurz beschreiben?

Aufgabe 195:

Gegen welches Prinzip verstößt die Existenz stiller Rücklagen?

Lösung 142:

Lineare Abschreibung: Die Abschreibungsbeträge werden mittels Division der AHK durch die wirtschaftliche Nutzungsdauer errechnet. Sie sind gleich hoch.

Degressive Abschreibung: Die Abschreibungsbeträge verringern sich im Zeitablauf entweder durch sinkenden Abschreibungssatz vom konstanten Ausgangswert (AHK) (Arithmetisch-degressive Abschreibung) oder durch konstanten Abschreibungssatz vom sinkenden Restbuchwert (Geometrisch-degressive Abschreibung).

Progressive Abschreibung: Die Abschreibungsbeträge steigen im Zeitablauf; Berechnung analog zur degressiven Abschreibung.

Leistungsabschreibung: Die Abschreibungsbeträge errechnen sich durch Multiplikation der AHK mit dem Bruch:
Periodenleistung/Gesamtleistungsvermögen.

Lösung 195:

Die Bildung stiller Rücklagen vermindert, die Auflösung erhöht den Periodenerfolg (Bewertungsgewinne/-verluste). Sie stellen eine Verletzung des Prinzips der periodengerechten Gewinnermittlung dar. Auch der Einblick in die Vermögenslage wird durch Unter- bzw. Überbewertung getrübt.

Aufgabe 143:

Für folgende Abschreibungsreihen (AHK = 100) ist die Abschreibungsmethode zu bestimmen (durch Probieren):

Jahr	**a)**	**b)**	**c)**
1	20	10	25
2	16	20	25
3	12,8	30	25
4	51,2	40	25

Aufgabe 196:

Können auch in internen Bilanzen stille Rücklagen gebildet werden?

Lösung 143:

Nutzungsdauer 4 Jahre.

a) geometrisch-degressiv mit einem konstanten Abschreibungssatz von 20 % vom jeweiligen Restbuchwert (im 4. Jahr Abschreibung auf Null).
b) arithmetisch-progressiv mit einem von 10 % bis 40 % steigenden Abschreibungssatz von den AHK.
c) linear mit einem konstanten Abschreibungssatz von 25 % von den AHK.

Lösung 196:

Das Ziel der internen Bilanz ist die betriebswirtschaftlich richtige Darstellung der Vermögens- und Ertragslage. Die willkürliche Bildung stiller Rücklagen wird also unterbleiben, um die Zielsetzung nicht zu gefährden. Allerdings können stille Rücklagen auch durch Schätzungsfehler (z. B. zu kurze Nutzungsdauer) entstehen. Tendenziell enthält aber die interne Bilanz nur in geringem Umfang stille Rücklagen.

IV. Bilanzpolitik

Während die Bilanzierung und die Bilanztheorie das Ziel verfolgt, den Jahresabschluß möglichst „richtig", d. h. den gesetzlichen Vorschriften und den betriebswirtschaftlichen Vorstellungen entsprechend aufzustellen, richtet sich die Bilanzpolitik darauf aus, die Bilanz nach außerbilanziellen Zielsetzungen bewußt zu gestalten; dabei müssen die gesetzlichen Vorschriften allerdings eingehalten werden, da sonst eine Bilanzverschleierung oder -fälschung vorliegt. Die Bilanzpolitik ist eine Teilpolitik im System der gesamten Unternehmenspolitik. Wie alle Politiken besteht auch die Bilanzpolitik aus den Elementen: Ziele (Aufgabe 198, 205 ff.), Mittel (Aufgabe 199, 203 ff., 218 .), Träger (Aufgabe 200) und Aktionsfeld (Aufgabe 201 f.).
Neben den Zielen der Handelsbilanzpolitik (Aufgabe 205 ff.) hat das Ziel der Steuerbilanzpolitik wegen der hohen Steuerbelastung des Unternehmens eine hervorragende Bedeutung. Das steuerbilanzpolitische Ziel kann statisch formuliert werden (Minimierung der Summe der Steuerzahlungen) und führt dann zur Gewinnivellierung, und es kann dynamisch formuliert werden (Minimierung der diskontierten Summe der Steuerzahlungen) und führt dann im allgemeinen zu einem tendenziell steigenden Steuerbilanzgewinn (Aufgabe 212 ff.). Die letzte Zieldefinition ist wegen der gleichzeitigen Berücksichtigung von Zins- und Progressionseffekt richtig, die erste Zielformulierung ist praktikabel.
Das bilanzpolitische Instrumentarium, also die Gesamtheit der bilanzpolitischen Mittel besteht aus den wenig bedeutsamen formellen Mitteln und den wichtigen materiellen Mitteln. Nur letztere sind geeignet, den Bilanzgewinn zu beeinflussen. Es handelt sich bei diesen um die Bilanzierungs- und Bewertungswahlrechte sowie die Wahlrechte zur Bildung steuerfreier Rücklagen (Aufgabe 217 ff.). Wie diese Mittel eingesetzt werden, hängt von der verfolgten Zielsetzung ab (z. B. Aufgabe 216, 220, 228). Die Wirksamkeit der Mittel ist einmal von der Aktionsmasse (Umfang des Wahlrechts) und von der Länge des Aktionszeitraums abhängig (Aufgabe 224). Danach kommt der Bewertung des Anlagevermögens (Aufgabe 221, 227 ff.), den Vorräten (trotz kurzen Zeitraums) (Aufgabe 233 f.), den Pensionsrückstellungen (Aufgabe 225 f.) und den steuerfreien Rücklagen (Aufgabe 235 ff.) die größte bilanzpolitische Bedeutung zu.
Das bilanzpolitische Aktionsfeld kann jede externe Bilanz sein. Den ordentlichen Bilanzen kommt wegen ihrer regelmäßigen Aufstellung aber

eine besondere Bedeutung zu (Aufgabe 201). Das Aktionsfeld ist begrenzt durch konkurrierende Ziele anderer Teilpolitiken und durch rechtliche Vorschriften.

Aufgabe 197:

Welches ist der grundsätzliche Unterschied zwischen Theorie und Politik (hier: Bilanztheorie und Bilanzpolitik)?

Aufgabe 218:

Wie lassen sich die materiellen Instrumente der Bilanzpolitik klassifizieren?

Lösung 197:

Die Theorie richtet sich ausschließlich auf die Erkenntnis. Diese wird durch Analyse und Erklärung von Erscheinungen und Problemen des jeweiligen Forschungsobjektes (hier: Bilanz) gewonnen. Die Politik ist dagegen zielbezogenes Handeln und Gestalten unter Anwendung der theoretischen Erkenntnisse.

Lösung 218:

Die aktive Beeinflussung der Bilanz setzt einen Ermessensspielraum, ein Wahlrecht, voraus. Soweit Verbote oder Gebote bestehen, ist kein Raum für eine Bilanzpolitik. Nach den Arten der Wahlrechte lassen sich die Instrumente der Bilanzpolitik klassifizieren:

a) Bilanzierungswahlrechte
   - Aktivierungswahlrechte
   - Passivierungswahlrechte

b) Bewertungswahlrechte
   - Abschreibungswahlrechte
   - Aufwertungswahlrechte
   - sonstige Bewertungswahlrechte
   - Wahlrechte bei der Behandlung aufgelöster stiller Rücklagen

c) Wahlrechte der Bildung steuerfreier Rücklagen

Aufgabe 198:

Wie jede Politik besteht auch das System der Bilanzpolitik aus den Elementen: Ziele (= Zwecke), Mittel (= Instrumente, Aktionsparameter), Träger und Aktionsfeld. Wie lauten die wichtigsten Ziele der Bilanzpolitik?

Aufgabe 219:

Für den derivativen Firmenwert besteht in der Handelsbilanz ein Aktivierungswahlrecht (mit Abschreibungszwang), in der Steuerbilanz besteht Aktivierungspflicht (mit AfA-Verbot, evtl. Teilwertabschreibung). Welche bilanzpolitische Bedeutung kommt dem Firmenwert unter diesen Bedingungen zu?

Lösung 198:

Die wichtigsten Ziele der Bilanzpolitik sind:

a) Beeinflussung des finanziellen Bereichs (z. B. Höhe des ausgewiesenen Handels- bzw. Steuerbilanzgewinns, Liquiditätsbeeinflussung, Steuerersparnis)
b) Beeinflussung der am Jahresabschluß interessierten Personengruppen (z. B. der Aktionäre, Gläubiger, Öffentlichkeit)

Lösung 219:

Der derivative Firmenwert hat eine zweifache bilanzpolitische Bedeutung:

a) Es ist grundsätzlich schwierig, den Anteil des Firmenwertes am Gesamtpreis des Unternehmens festzustellen. Dieser Anteil kann insoweit bei Vertragsabschluß höher oder niedriger angesetzt werden. Dadurch wird der Kaufpreis für das materielle Vermögen niedriger bzw. höher. Teile des Firmenwertes (Ausgabe) können also je nach Zielvorstellung entweder nicht erfolgswirksam sein (Steuerbilanz), in den folgenden 5 Jahren als Abschreibung den Erfolg mindern (Handelsbilanz) oder, soweit sie im abnutzbaren Anlagevermögen enthalten sind, je nach Nutzungsdauer anders erfolgswirksam verteilt werden (Handels- und Steuerbilanz).
b) Die Ausgabe für den Firmenwert kann in der Handelsbilanz entweder sofort den Erfolg mindern (Nichtaktivierung) oder erst in den nächsten 5 Jahren erfolgsmindernd sein (Aktivierung und Abschreibung). In der Steuerbilanz besteht diese Möglichkeit allerdings nicht, so daß Alternative a) so weit wie möglich ausgenutzt werden sollte.

Aufgabe 199:

Für die Gesamtheit der bilanzpolitischen Mittel existiert ein Sammelbegriff. Wie lautet er und was ist darunter zu verstehen?

Aufgabe 220:

Beim Kauf eines Unternehmens wird der Wert des Fabrikgebäudes mit DM 500 000,– angesetzt. In der Bilanz ist es auf Grund steuerlicher Sonderabschreibungen mit DM 400 000,– aktiviert. Der Firmenwert wird mit DM 50 000,– angenommen. Bei der Vertragsformulierung sind zwei Alternativen gegeben:

a) Der Kaufpreis des Gebäudes wird mit DM 500 000,– angesetzt, der Firmenwert wird nicht vergütet.
b) Der Kaufpreis des Gebäudes wird mit DM 450 000,– angesetzt, der Firmenwert mit DM 50 000,–.

Die Restnutzungsdauer (lineare Abschreibung) beträgt 40 Jahre.
Der Käufer beabsichtigt, in den ersten Jahren in der Handelsbilanz möglichst wenig Aufwand zu verrechnen. Welche Alternative soll er im Vertrag wählen?

Lösung 199:

Die Gesamtheit aller bilanzpolitischen Mittel bezeichnet man als bilanzpolitisches Instrumentarium. Es besteht aus formellen (Gliederung) und materiellen Instrumenten (Bewertung, Abschreibung, Rücklagen).

Lösung 220:

Bei Alternative a) steckt der Kaufpreis für den Firmenwert im Kaufpreis für das Gebäude. Die Abschreibungen auf den Firmenwert verteilen sich auf 40 Jahre, fallen also relativ spät an.
Bei Alternative b) ist der Firmenwert getrennt zu aktivieren und in den ersten 5 Jahren abzuschreiben. Der Abschreibungsaufwand fällt also früher an als bei Alternative a).
Der Käufer wird Alternative a) wählen.

Aufgabe 200:

Wer ist der Träger der Bilanzpolitik?

Aufgabe 221:

Eine Aktiengesellschaft beabsichtigt, sog. geringwertige Wirtschaftsgüter gem. § 6 II EStG sofort abzuschreiben. Es besteht das Problem, ob die Bewertungsvorschriften des AktG (Wertuntergrenzen) über das Maßgeblichkeitsprinzip die Sofortabschreibung beeinträchtigen. Wie ist diese Frage zu beantworten?

Lösung 200:

Da die Bilanzpolitik als betriebliche Teilpolitik auch Ziele anderer Teilpolitiken (besonders der Finanzpolitik) zu beachten hat, ist es grundsätzlich Aufgabe der höheren Unternehmensleitung, bilanzpolitische Aktionen einzuleiten. Ausgeführt werden diese dann vom Bilanzierenden (Leiter des Rechnungswesens, Steuerberater u. a.). Beide Gruppen sind Träger der Bilanzpolitik.

Lösung 221:

Für die Sofortabschreibung besteht in der Steuerbilanz ein Wahlrecht. Das Maßgeblichkeitsprinzip wird also nicht beeinträchtigt: Der Wert der Handelsbilanz muß in die Steuerbilanz übernommen werden. Hier wird das Maßgeblichkeitsprinzip jedoch umgekehrt (Rückwirkung des Maßgeblichkeitsprinzips): In der Handelsbilanz wird der niedrigere Wert der Steuerbilanz (DM 1,–) angesetzt (§ 154 II AktG gibt diese Möglichkeit auch für die Aktiengesellschaft) und dann in die Steuerbilanz übernommen.
Anm. Diese Bewertungsfreiheit geringwertiger Wirtschaftsgüter wird z. T. als Aktivierungswahlrecht, z. T. als Bewertungswahlrecht interpretiert.

Aufgabe 201:

Welches ist das Aktionsfeld der Bilanzpolitik?

Aufgabe 222:

Verbindlichkeiten sind zum Rückzahlungsbetrag zu passivieren, der häufig höher ist als der Ausgabebetrag. Hat die Differenz (Disagio, Damnum) bilanzpolitische Bedeutung?

Lösung 201

Da mit dem Einsatz des bilanzpolitischen Instrumentariums eine bewußte Beeinflussung bilanzieller Größen beabsichtigt ist, können nur **externe** Bilanzen das Aktionsfeld darstellen. Die interne Bilanz soll ex definitione eine unmanipulierte betriebswirtschaftlich richtige Bilanz sein.
Wegen der regelmäßigen Notwendigkeit ihrer Aufstellung sind die ordentlichen Bilanzen (Handels- und Steuerbilanz) hauptsächlich Grundlage politischer Einflußnahme. Aber auch die außerordentlichen Bilanzen (z. B. Fusionsbilanz, Auseinandersetzungsbilanz) können Aktionsfeld der Bilanzpolitik sein.

Lösung 222:

In der Handelsbilanz besteht für das Disagio (Damnum) ein Aktivierungswahlrecht. Insoweit kommt ihm also grundsätzlich bilanzpolitische Bedeutung zu. Da diese Beträge meist relativ niedrig sind und selten anfallen, ist die praktische Bedeutung gering.
In der Steuerbilanz besteht Aktivierungspflicht. Das Disagio (Damnum) ist also kein **steuer**bilanzpolitischer Aktionsparameter.

Aufgabe 202:

Das bilanzpolitische Aktionsfeld ist begrenzt. Welches sind die wesentlichen Einschränkungen der bilanzpolitischen Freiheit?

Aufgabe 223:

Welche grundsätzliche Bedeutung im Rahmen des bilanzpolitischen Instrumentariums kommt den Rückstellungen zu?

Lösung 202:

Der bilanzpolitische Spielraum ist begrenzt

a) durch konkurrierende Ziele anderer Teilpolitiken (so z. B. schon u. U. eine gewisse Zielkonkurrenz zwischen Handels- und Steuerbilanzpolitik)

b) durch gesetzliche Vorschriften, wie etwa Gliederungsvorschriften, Bilanzierungspflichten oder -verbote, gesetzliche Wertober- oder -untergrenzen u. a.

Lösung 223:

Grundsätzlich besteht nach h. M. Passivierungspflicht. Trotzdem

a) gilt für verschiedene Rückstellungen ein Passivierungswahlrecht

b) können Rückstellungen zu niedrig bewertet werden

c) können Rückstellungen zu hoch bewertet werden (versteckte Rücklagen)

d) können Zuführungen zu den Pensionsrückstellungen zeitweise unterlassen werden.

Aufgabe 203:

Den formellen Mitteln kommt aus verschiedenen Gründen nur eine sekundäre Stellung zu. Wesentlich wichtiger sind die materiellen Mittel, insbesondere die Bewertungs- und Rücklagenpolitik. Welches ist der Gegenstand dieser beiden Teil- oder Unterpolitiken?

Aufgabe 224:

Wovon hängt die bilanzpolitische Wirksamkeit des Aktionsparameters „Rückstellungen" ab? Dies gilt auch für alle anderen bilanzpolitischen Aktionsparameter.

Lösung 203:

Gegenstand der Bewertungspolitik ist die zweckmäßige (=zielgerichtete, zielkonforme) Gestaltung der Wertansätze in Handels- und Steuerbilanz. Gegenstand der Rücklagenpolitik ist die zweckmäßige Gestaltung der Rücklagen nach Art und Umfang.

Lösung 224:

Die Wirksamkeit ist um so größer, je größer die Aktionsmasse (Rückstellungsbetrag) und je länger der Aktionszeitraum ist (Frist zwischen Bildung und Auflösung der Rückstellung).

Aufgabe 204:

Für eine bestimmte Gruppe der Rücklagen läßt sich im allgemeinen nicht zwischen Bewertungs- und Rücklagenpolitik differenzieren. Um welche Gruppe handelt es sich?

Aufgabe 225:

Welche Rückstellung hat nach den genannten Kriterien die größte bilanzpolitische Bedeutung?

Lösung 204:

Die Bildung **stiller Rücklagen** beruht in der Regel auf Bewertungsentscheidungen. Bei diesen Rücklagen überschneiden sich Bewertungs- und Rücklagenpolitik. Im allgemeinen ordnet man die Bildung stiller Rücklagen der Bewertungspolitik zu.
Anm. Dies gilt nicht für Zwangsrücklagen, da diese nicht aus einer Bewertungsentscheidung, sondern aus einem (meist gesetzlichen) Bewertungszwang entstehen.

Lösung 225:

Die größte bilanzpolitische Bedeutung kommt der Pensionsrückstellung zu, weil
a) in Handels- und Steuerbilanz ein Passivierungswahlrecht besteht
b) sie meist den mit Abstand größten Rückstellungsbetrag ausmacht
c) zwischen Bildung und Auflösung oft Jahrzehnte liegen.

Aufgabe 205:

Als Ziele der Bewertungs- und Rücklagenpolitik gelten (besonders für die Handelsbilanz)

Kapitalsicherung
Kapitalerhaltung
Kapitalerweiterung
Kapitalumschichtung
Liquiditätsverbesserung
Ausschüttungsbeeinflussung
Meinungsbildung

und vor allem (für die Steuerbilanz)

Beeinflussung der Steuerbelastung

Wie läßt sich das Ziel der Kapitalsicherung erreichen?

Aufgabe 226:

Gibt es einen Zeitpunkt, von dem ab die Pensionsrückstellung keine bilanzpolitische Bedeutung mehr hat?

Lösung 205:

Das Ziel der Kapitalsicherung läßt sich mit bilanziellen Maßnahmen erreichen

a) durch Rückstellungsbildung zur Periodisierung einzelner Risiken durch Inanspruchnahme Dritter
b) durch Rücklagenbildung, um eine gewisse Absicherung gegen das allgemeine Unternehmerrisiko zu haben.

Anm. Die Auflösung der Rückstellungen/Rücklagen bei Eintritt eines Verlustes ist zunächst nur ein buchtechnischer Vorgang. Die Rückstellungs-/Rücklagenbildung sichert nur, daß Aktivwerte in dieser Höhe nicht das Unternehmen verlassen, sondern im Verlustfalle z. B. veräußert werden können.

Lösung 226:

Wenn der Versorgungsfall eintritt, **muß** die Pensionsrückstellung pro rata temporis aufgelöst werden. Ein Wahlrecht besteht nur noch in der Auflösungsmethode (versicherungsmathematische, buchtechnische Auflösung). Diesem Wahlrecht kommt jedoch nur eine geringe bilanzpolitische Bedeutung zu.

Aufgabe 206:

Wie läßt sich das Ziel der Kapitalerhaltung erreichen?

Aufgabe 227:

Die Abschreibung enthält wohl das wichtigste Bewertungswahlrecht. Welche Wahlrechte kann der Unternehmer bei dem Ansatz von Abschreibungen ausüben?

Lösung 206:

Das Ziel der Kapitalerhaltung ist durch die Bilanztheorie unterschiedlich definiert (nominelle, reale, substantielle Kapitalerhaltung). Handels- und Steuerbilanz gehen vom Prinzip der nominellen Kapitalerhaltung aus. Der Unternehmer wird im allgemeinen eine substantielle Kapitalerhaltung anstreben. Dieses Ziel läßt sich durch die Bildung von Rücklagen verfolgen. Stille Rücklagen eignen sich dabei besser als offene Rücklagen, weil letztere nur aus dem um die Steuer gekürzten Gewinn gebildet werden können (Ausnahme: die sog. steuerfreien Rücklagen).

Lösung 227:

Bei dem Ansatz von Abschreibungen hat der Unternehmer zwei Wahlrechte:

a) Er kann zwischen verschiedenen Abschreibungsmethoden wählen
b) Er kann die wirtschaftliche Nutzungsdauer verschieden lang ansetzen.

Anm. Diese Wahlrechte können jedoch nur unter Beachtung handelsrechtlicher und besonders steuerrechtlicher Restriktionen ausgeübt werden.

Aufgabe 207:

Wie läßt sich das Ziel der Kapitalerweiterung erreichen?

Aufgabe 228:

Die Anwendung der degressiven AfA ist durch § 7 II EStG begrenzt. Ein bewegliches abnutzbares Wirtschaftsgut mit einer wirtschaftlichen Nutzungsdauer von 12 Jahren kann z. B. linear oder geometrisch-degressiv abgeschrieben werden. Wenn der Unternehmer das Ziel hat, in den ersten Jahren möglichst viel Abschreibungsbeträge als Aufwand zu verrechnen, wird er dieses Wirtschaftsgut linear oder geometrisch-degressiv abschreiben?

Lösung 207:

Die Bildung von Rücklagen hat eine Erweiterung des Eigenkapitals zur Folge. Ob diese angestrebt wird oder die oben genannte Kapitalerhaltung ist eine Frage der Zielsetzung. Die durch die Rücklagenbildung im Unternehmen zurückbehaltenen finanziellen Mittel können über eine Erhaltung des Produktivvermögens hinaus auch zu einer Kapazitätserweiterung führen (Selbstfinanzierung).

Lösung 228:

Der Unternehmer wird in diesem Fall die geometrisch-degressive AfA ansetzen, da der lineare AfA-Satz 8,3 % beträgt, der höchstzulässige geometrisch-degressive AfA-Satz hingegen 20,8 % (das Zweieinhalbfache des linearen AfA-Satzes, jedoch maximal 25 %). Der geometrisch-degressive AfA-Satz bezieht sich zwar auf den jeweiligen Restbuchwert, der lineare dagegen auf die AHK: Dennoch ist der AfA-Aufwand bei geometrisch-degressiver AfA in den ersten Jahren höher (in diesem Fall bis zum 5. Jahr) als bei linearer AfA.

Aufgabe 208:

Wie läßt sich das Ziel der Kapitalumschichtung erreichen?

Aufgabe 229:

Schränkt das Maßgeblichkeitsprinzip (bzw. dessen Rückwirkung) den Aktionsraum des bilanzpolitischen Aktionsparameters „degressive AfA" ein?

Lösung 208:

Werden zurückbehaltene Gewinne zur Rückzahlung von Fremdkapital eingesetzt, so ändert sich die Relation Eigenkapital/Fremdkapital. In diesem Fall wird Fremdkapital durch Eigenkapital ersetzt. So ist es möglich, Kapitalkennziffern (z. B. Deckungsgrade) bewußt zu beeinflussen.

Lösung 229:

Die Rückwirkung des Maßgeblichkeitsprinzips schränkt die Anwendung der degressiven AfA nicht ein, da in der Handelsbilanz nur eine **planmäßige** Abschreibung notwendig ist. Die degressive Methode ist planmäßig. Bei der Beschränkung auf die steuerrechtlich zulässigen Prozentsätze wird auch der Einblick in die wirtschaftliche Lage des Unternehmens nicht derart getrübt, daß die GoB verletzt würden.
Erzwingt jedoch die handelsbilanzpolitische Zielsetzung eine lineare Abschreibung, so kann auf Grund des Maßgeblichkeitsprinzips in der Steuerbilanz dann nicht degressiv abgeschrieben werden, wenn die degressiven AfA-Beträge größer sind als die linearen Abschreibungsbeträge. Das ist bei Nutzungsdauern von mehr als 4 Jahren der Fall.

Aufgabe 209:

Wie läßt sich das Ziel der Liquiditätsverbesserung erreichen?

Aufgabe 230:

Wieso kommt den steuerlichen Sonderabschreibungen im Rahmen der Abschreibungspolitik eine besonders große Bedeutung zu?

Lösung 209:

Die Liquidität einer Periode wird dann verbessert, wenn finanzielle Mittel im Unternehmen zurückbehalten werden können, wenn sie also weder an die Kapitaleigner als Dividende noch an den Fiskus als Steuer ausgeschüttet werden. Dies kann geschehen durch offene Rücklagen (Dividendenzurückhaltung) oder in besonderem Maße durch stille Rücklagen (insbesondere Steuerstundung).

Lösung 230:

Die steuerrechtlichen Sonderabschreibungen bzw. erhöhten Absetzungen ermöglichen – soweit sie im Einzelfall zulässig sind – eine zeitliche Vor- oder Nachverrechnung von Abschreibungsaufwand. Durch die im allgemeinen recht hohen Abschreibungssätze (z. B. 75 % wahlweise im 1. Jahr gem. § 14 BFG) sind die beeinflußbaren Aufwandsbeträge ziemlich groß.

Aufgabe 210:

Wie läßt sich die Ausschüttung (als Dividende) beeinflussen?

Aufgabe 231:

Gegen welches Ziel der Handelsbilanz (**nicht** der Politik) verstößt die Inanspruchnahme der steuerrechtlichen Sonderabschreibungen bzw. erhöhten Absetzungen?

Lösung 210:

Ziel einer aktiven Ausschüttungspolitik ist oft die Stabilisierung der jährlichen Dividende. Bei schwankenden Periodenerfolgen läßt sich dies durch Rücklagenbildung (in guten Jahren) bzw. Rücklagenauflösung (in schlechten Jahren) erreichen. Stille Rücklagen sind für die Ausschüttungspolitik von sekundärer Bedeutung, da ihre Auflösung meist nicht beeinflußt werden kann.

Lösung 231:

Da die Inanspruchnahme der Sonderabschreibungen oder der erhöhten Absetzungen steuergesetzlich davon abhängig gemacht wird, daß diese auch in der Handelsbilanz angesetzt werden (Rückwirkung des Maßgeblichkeitsprinzips), wird der sichere Einblick in die Vermögenslage des Unternehmens sowie in die Ertragslage (Periodenverschiebung der betrieblichen Erfolge) erheblich eingeschränkt.

Aufgabe 211:

Wie läßt sich mit der Bilanzpolitik die Meinungsbildung beeinflussen?

Aufgabe 232:

Die Abschreibungswahlrechte stellen **Ab**wertungswahlrechte dar. Im Gegensatz dazu gibt es sowohl in der Handelsbilanz als auch in der Steuerbilanz **Auf**wertungswahlrechte (Zuschreibung). Welche Bedeutung haben die Aufwertungswahlrechte als bilanzpolitischer Aktionsparameter?

Lösung 211:

Eine Beeinflussung der Bilanz ausschließlich aus optischen Gründen dient publizitätsorientierten Zielsetzungen. Die Zielsetzung ist die Vermittlung einer erwünschten Vorstellung beim Adressaten z. B. über die Ertragskraft oder die Solidität des Unternehmens. Da bekannt ist, daß zur Bilanzanalyse von externen Adressaten häufig Branchenkennzahlen (Richtzahlen) herangezogen werden, können die Bilanzpositionen in dieser Richtung von vornherein manipuliert werden.

Lösung 232:

Die bilanzpolitische Bedeutung der Aufwertungswahlrechte ist im Gegensatz zu der der Abschreibungswahlrechte nur gering, weil

a) die Aufwertungsgrenze immer durch die (fortgeführten) AHK fixiert ist
b) Zuschreibungen, die **Wert**steigerungen erfassen sollen, prinzipiell verboten sind (Realisationsprinzip)
c) Zuschreibungen in der Steuerbilanz für abnutzbare Wirtschaftsgüter des Anlagevermögens überhaupt verboten sind (§ 6 I, 4 EStG, Prinzip des strengen Wertzusammenhanges).

Aufgabe 212:

Das Ziel der Beeinflussung der Steuerbelastung ist wegen der Höhe der Steuern von wesentlicher Bedeutung. Seine Verfolgung ist Gegenstand der Steuerbilanzpolitik. Wie läßt sich das Ziel der Steuerbilanzpolitik näher definieren?

Aufgabe 233:

Unter den sonstigen Bewertungswahlrechten ist besonders das Recht zur Aktivierung bestimmter Gemeinkosten bei der Ermittlung der **Herstellungskosten** zu nennen. Dies gilt besonders bei der Bewertung der Halb- und Fertigfabrikate. Aus welchen Gründen besteht hier ein Aktionsraum?
Anm. Die Frage, ob es sich hierbei um ein Bewertungswahlrecht oder ein Aktivierungswahlrecht handelt, ist nicht eindeutig geklärt.

Lösung 212:

Es existieren zwei Zieldefinitionen:

a) statisch: Minimierung der Summe der Steuerzahlungen im Planungszeitraum
b) dynamisch: Minimierung der Summe der Barwerte der Steuerzahlungen im Planungszeitraum

Lösung 233:

Bei der Zurechnung der Gemeinkosten auf die Kostenträger bzw. auf die selbsterstellten Anlagen und Vorräte in der Bilanz gibt es eine Reihe von Problemen, so daß weitgehende Handlungsfreiheit möglich ist:

a) Die Verteilung der Gemeinkosten auf die Kostenstellen und Kostenträger in der Kostenrechnung ist außerordentlich schwierig
b) Nicht alle Kosten sind auch bilanzierungsfähig (kalkulatorische Kosten)
c) Die GoB können eine Aktivierung von Kostenteilen erfordern, die in der Kostenrechnung nicht dem Kostenträger zugerechnet werden (Teilkostenrechnung)
d) Die Bewertung der Kosten ist schwierig

Aufgabe 213:

Wie lassen sich die genannten Zielsetzungen formalisieren?

Aufgabe 234:

Inwiefern stellen auch die Methoden der Sammelbewertung gleichartiger Vorräte ein bilanzpolitisches Instrument dar?

Lösung 213:

statische Zielfunktion $\sum_{j=0}^{n} G_j S_j = \text{Min!}$

$j = 0, \dots, n$	Planungszeitraum
G_j	steuerpflichtiger Gewinn des j-ten Jahres
S_j	durchschnittlicher Steuersatz des j-ten Jahres

dynamische Zielfunktion $\sum_{j=0}^{n} \frac{G_j S_j}{(1+i)^j} = \text{Min!}$

i Kalkulationszinsfuß

Lösung 234:

Auch unter Berücksichtigung des strengen Niederstwertprinzips und gesetzlicher Einschränkungen hat das Unternehmen oft die Wahl zwischen mehreren Sammelbewertungsmethoden, die zu unterschiedlichen Wertansätzen in der Bilanz führen können. Dadurch läßt sich der Periodenerfolg bewußt beeinflussen. Allerdings lösen sich stille Rücklagen in den Vorräten durch Umsatz meist schon ein Jahr nach der Bildung wieder auf.

Aufgabe 214:

Welchen Effekt hat die Verfolgung des statischen und welchen die des dynamischen steuerbilanzpolitischen Zieles?

Aufgabe 235:

Durch die Wahrnehmung von Bewertungswahlrechten (z. B. Sonderabschreibungen) oder durch gesetzliche Höchstwertvorschriften (Höchstwert: fortgeführte AHK) werden im Vermögen eines Unternehmens oft stille Rücklagen gebildet. Bei Veräußerung der Wirtschaftsgüter oder des ganzen Unternehmens lösen sich diese stillen Rücklagen auf und unterliegen der Besteuerung. Der Gesetzgeber hat vor allem aus wirtschaftspolitischen Gründen eine Reihe von Vorschriften erlassen, die die Übertragung der stillen Rücklagen auf andere Wirtschaftsgüter (andere Unternehmen) erlauben (Wahlrecht), ohne daß sie zuvor besteuert werden. Welches sind die wichtigsten dieser Vorschriften?

Lösung 214:

statische Zieldefinition: Beeinflußt man die Steuerbilanzgewinne nach dieser Zieldefinition, so ergibt sich wegen der Progression verschiedener Steuern (insbesondere der ESt), daß die Steuerbilanzgewinne der einzelnen Jahre gleich hoch sein müssen. Dann ist die Steuerbelastung minimal (Gewinnivellierungsmodell).

dynamische Zieldefinition: Diese Definition berücksichtigt neben dem Progressionseffekt auch den Zins- (und Liquiditäts-)effekt. Danach sind Steuerzahlungen um so weniger „wert", je weiter sie in der Zukunft liegen. Der Progressionseffekt und der Zinseffekt können konkurrieren (Barwertmodell).

Lösung 235:

a) Die Übertragung stiller Rücklagen, die durch die Veräußerung von Wirtschaftsgütern frei werden, auf andere Wirtschaftsgüter bzw. in eine steuerfreie Rücklage gem. § 6b EStG.
b) Die Übertragung stiller Rücklagen, die durch Veräußerung frei werden, auf ein **Ersatz**wirtschaftsgut bzw. in eine steuerfreie Rücklage gem. Abschnitt 35 EStR.
c) Die Übertragung stiller Rücklagen, die durch eine Umwandlung (Änderung der Rechtsform) frei werden, in die Eröffnungsbilanz des neuen juristischen Unternehmens gem. §§ 4, 17 UmwStG.

Aufgabe 215:

Im allgemeinen läßt sich durch steuerbilanzpolitische Maßnahmen nicht der Steuerbilanzgewinn insgesamt, sondern nur teilweise beeinflussen. Wie sind die Zieldefinitionen unter diesem Aspekt quantitativ zu modfizieren?

Aufgabe 236:

Welches Wahlrecht besteht gem. § 6b EStG bezüglich der Übertragung stiller Rücklagen?

Lösung 215:

statische Zieldefinition $\sum_{j=0}^{n} g_j s_j = \text{Min!}$

g_j Gewinnerhöhung (+), Gewinnminderung (−) im j-ten Jahr durch bilanzpolitische Einwirkung

s_j Grenzsteuersatz (Steuersatz, mit dem der Unternehmer den jeweils letzten Gewinnteil (g_j) versteuern muß. Bei proportionalen Steuern ist s_j = const., bei progressiven Steuern steigt s_j mit steigenden Einkommen)

dynamische Zieldefinition $\sum_{j=0}^{n} \frac{g_j s_j}{(1+i)^j} = \text{Min!}$

Lösung 236:

§ 6b EStG gibt für die Übertragung stiller Rücklagen im wesentlichen aus der Veräußerung von Wirtschaftsgütern – unter Einschränkungen – zwei Alternativen:

a) sofortige Übertragung auf andere Wirtschaftsgüter durch Minderung der AHK dieser Güter
b) Übertragung in eine steuerfreie Rücklage und Auflösung dieser Rücklage spätestens nach 2 bzw. 4 Jahren.

Außerdem kann

c) die stille Rücklage sofort aufgelöst werden (Nichtinanspruchnahme des § 6b EStG).

Aufgabe 216:

Ein Unternehmer hat die Möglichkeit, DM 1000,– in diesem Jahr oder erst in zwei Jahren abzuschreiben. Der Grenzsteuersatz beträgt in diesem Jahr 40 %, in zwei Jahren wird er infolge steigender Gewinne bei 45 % liegen. Der Unternehmer kann zurückbehaltene Geldbeträge zu 7 % anlegen. Wann wird er abschreiben, wenn er sich

a) nach der statischen Methode
b) nach der dynamischen Methode

entscheidet?

Aufgabe 237:

Wie wirken sich diese drei genannten Alternativen auf die zeitliche Entwicklung des steuerpflichtigen Gewinns aus?

Lösung 216:

a) Zieldefinition, statisch $g_0 s_0 + g_1 s_1 + g_2 s_2 = \text{Min!}$
Abschreibung jetzt $-1\,000 \cdot 0{,}4 = -400$
Abschreibung in 2 Jahren $-1\,000 \cdot 0{,}45 = -450$
Der Unternehmer wird die Abschreibung in zwei Jahren vornehmen

b) Zieldefinition, dynamisch $\frac{g_0 s_0}{(1+i)^0} + \frac{g_1 s_1}{(1+i)^1} + \frac{g_2 s_2}{(1+i)^2} = \text{Min!}$

Abschreibung jetzt $-1\,000 \cdot 0{,}4 = -400$

Abschreibung in 2 Jahren $\frac{-1\,000 \cdot 0{,}45}{1{,}07^2} = -393$

Der Unternehmer wird die Abschreibung sofort vornehmen

Lösung 237:

a) Während der Nutzungsdauer des neuen Wirtschaftsgutes sind durch die niedrigeren AHK die AfA-Beträge niedriger. Die stille Rücklage löst sich pro rata temporis während der Nutzungsdauer gewinnerhöhend auf.

b) Die stille Rücklage löst sich entweder nach 2 bzw. 4 Jahren gewinnerhöhend auf (Auflösung der steuerfreien Rücklage ohne Übertragung) oder wie bei a), jedoch jeweils maximal 2 bzw. 4 Jahre später (Auflösung der steuerfreien Rücklage mit Übertragung).

c) Der Gewinn des Jahres, in dem das Wirtschaftsgut veräußert wird, wird um die stille Rücklage erhöht.

Aufgabe 217:

Welche Vor- und Nachteile haben die beiden Zieldefinitionen, sieht man einmal davon ab, daß sie zu verschiedenen Ergebnissen führen können?

Aufgabe 238:

Der Steuergesetzgeber sieht für eine Reihe von Anlässen ein Wahlrecht zur Bildung einer steuerfreien Rücklage vor. Was bedeutet die Bezeichnung „steuerfrei" in diesem Zusammenhang?

Lösung 217:

Das statische Gewinnivellierungsmodell zeichnet sich durch relativ einfache Berechnung aus. Es ist aber aus theoretischer Sicht abzulehnen, weil es das – auch von der Praxis als sehr wichtig anerkannte – Zins- bzw. Liquiditätsmoment nicht berücksichtigt.
Das dynamische Barwertmodell ist theoretisch richtig, da es das Progressionsmoment und das Zins- bzw. Liquiditätsmoment* simultan berücksichtigt. Die Anwendung ist jedoch durch die komplizierte Berechnung schwierig.
*Das Ziel der Liquiditätsverbesserung wird nicht implizit berücksichtigt. Zwischen ihm und dem Ziel der Maximierung des Zinsvorteils besteht jedoch weitgehend Komplementariät.

Lösung 238

Die steuerfreien Rücklagen haben keinen Steuerbefreiungseffekt, sondern bewirken nur eine Steuerstundung. Während sonstige offene Rücklagen aus dem versteuerten Gewinn gebildet werden, werden die steuerfreien Rücklagen aus dem unversteuerten Gewinn gebildet. Die Rücklage unterliegt erst bei oder nach der Auflösung der Besteuerung. Insoweit ist die Wirkung der steuerfreien Rücklage mit der der stillen Rücklage vergleichbar. Der Zeitpunkt der Auflösung liegt allerdings bei der steuerfreien Rücklage i. d. R. von vornherein fest.

V. Konzernbilanz

Durch die immer weiter zunehmende Verflechtung der Industrie kommt der Aufstellung von Konzernbilanzen eine wachsende Bedeutung zu. Die Problematik der Bilanzierung im Konzern ist vor allem verrechnungstechnischer Art (Konsolidierung = Eliminierung konzerninterner Vorgänge). Da der Konzern eine wirtschaftliche Einheit darstellt, müssen die konzerninternen Vorgänge wie bei jeder anderen wirtschaftlichen Einheit aus dem Jahresabschluß herausgehalten werden (Aufgabe 241). Deshalb werden z. B. die in der Bilanz der Obergesellschaft ausgewiesenen Beteiligungen an einer Tochtergesellschaft gegen einen entsprechenden Anteil an deren Kapital aufgerechnet (Kapitalkonsolidierung) (Aufgabe 242). Auch die konzerninternen Forderungen und Verbindlichkeiten müssen saldiert werden. Am wichtigsten ist die Gewinnkonsolidierung (Aufgabe 243, 245): Gewinne, die aus konzerninternen Lieferungen und Leistungen entstanden sind, sind noch nicht durch den Umsatzprozeß am Markt realisiert; entsprechend dem Imparitätsprinzip sind sie erfolgsunwirksam zu bilanzieren.
Über das Wesen der Konzernbilanz sind zwei Theorien entwickelt worden (Aufgabe 239), die sich vor allem durch ihre Stellung zu den Minderheitsaktionären unterscheiden. Die Einheitstheorie betrachtet die Konzernbilanz als Bilanz einer wirtschaftlichen Einheit, an der auch die Minderheitsaktionäre beteiligt sind. Die Interessentheorie betrachtet die Minderheitsanteile wie Fremdkapital: Nach dieser Auffassung haben die Minderheitsaktionäre die gleichen Interessen wie die Gläubiger. Das Aktiengesetz folgt keiner der beiden Auffassungen vollständig, tendiert aber eher in Richtung der Einheitstheorie (Aufgabe 240).

Aufgabe 239:

Die Konzernbilanztheorie vertritt zwei grundsätzliche Meinungen über den Charakter der Konzernbilanz. Um welche handelt es sich?

Aufgabe 242:

Wie erfolgt die Kapitalkonsolidierung?

Lösung 239:

Es handelt sich um die Einheitstheorie und die Interessentheorie.
Die Einheitstheorie betrachtet die Konzernbilanz als die gemeinsame Bilanz einer wirtschaftlichen Einheit, die sich aus mehreren rechtlich selbständigen Einheiten zusammensetzt.
Die Interessentheorie faßt die Konzernbilanz als einen erweiterten Abschluß der Obergesellschaft(en) auf und behandelt folglich die Anteile der Minderheiten wie Fremdkapital.

Lösung 242:

Die Beteiligung der Obergesellschaft wird gegen das Eigenkapital der Untergesellschaft aufgerechnet. Besteht keine hundertprozentige Beteiligung, so sind die Anteile der Minderheiten getrennt auszuweisen. Dies gilt für das Grundkapital, die offenen Rücklagen und den Bilanzgewinn bzw. -verlust.
Der Buchwert der Beteiligung wird häufig nicht dem Anteil am Eigenkapital der Untergesellschaft entsprechen. Ist der Buchwert höher als der Anteil, so ist für die Differenz (Kapitalaufrechnungsdifferenz) ein aktiver Ausgleichsposten zu bilden, ist der Buchwert niedriger, so ist entsprechend ein passiver Ausgleichsposten zu bilden.

Aufgabe 240:

Folgt die aktienrechtliche Regelung des Konzernabschlusses der Einheits- oder der Interessentheorie?

Aufgabe 243:

Besonders wichtig ist die Erfolgskonsolidierung, da der konzerninterne Erfolg das Ergebnis von Verrechnungspreisen ist. Je nach Festsetzung der Höhe dieser Preise kann der Erfolg von einer Gesellschaft auf eine andere verschoben werden (zum Nachteil besonders der Minderheitsaktionäre). Werden nach dem AktG sämtliche konzerninternen Gewinne konsolidiert?

Lösung 240:

Grundlage der aktienrechtlichen Konzernrechnungsvorschriften ist die Einheitstheorie, allerdings mit der Einschränkung, daß für Dritte (Gesellschafter, Gläubiger, Fiskus) die Einzelbilanzen maßgeblich sind. Die Konsolidierung konzerninterner Beziehungen hat für Dritte keine rechtliche Wirkung.

Lösung 243:

Nach dem AktG müssen Zwischengewinne nur dann eliminiert werden, wenn sie als Folge von Lieferungen und Leistungen zwischen Konzerngesellschaften erfolgen, die zur Weiterveräußerung an Dritte **bestimmt** sind (§ 332 AktG) (Die Vorräte müssen sich am Bilanzstichtag also noch im Konzern befinden). Zwischengewinne z. B. aus der Lieferung von Anlagegütern brauchen nicht eliminiert zu werden. Diese Differenzierung wird mit rechentechnischen Schwierigkeiten begründet (Begründung zum Entwurf des AktG).

Aufgabe 241:

Für den Konzernabschluß hat sich auch die Bezeichnung „konsolidierter Jahresabschluß" eingebürgert. Was ist in diesem Zusammenhang unter Konsolidierung zu verstehen?

Aufgabe 244:

Bevor eine Konzernbilanz aufgestellt werden kann, müssen für die Einzelbilanzen verschiedene Voraussetzungen erfüllt sein. Welche sind dies?

Lösung 241:

Ein Konzernabschluß entsteht nicht durch einfache Addition der Positionen der Einzelabschlüsse. Da der Konzern eine wirtschaftliche Einheit darstellt, würde die Addition zu Doppelzählungen führen, soweit die Positionen Ausdruck konzerninterner Beziehungen sind. Die konzerninternen Kapitalverflechtungen, Forderungen und Verbindlichkeiten sowie Erfolge müssen eliminiert werden. Diesen Vorgang bezeichnet man als Konsolidierung.

Lösung 244:

Voraussetzungen für eine Konsolidierung sind:

a) Formelle Übereinstimmung der Einzelbilanzen (Gliederung, Kontierung, Buchhaltungssystem)

b) Materielle Übereinstimmung der Einzelbilanzen (einheitliche Auslegung von Bewertungsvorschriften und -grundsätzen besonders bei Wahlrechten)

c) Zeitliche Übereinstimmung der Einzelbilanzen (Einheitlicher Bilanzstichtag, sonst Zwischenabschluß notwendig)

Aufgabe 245:

Die Gesellschaften A und B bilden einen Konzern. A ist an B zu 80 % beteiligt. Die Forderung von B an A ergibt sich aus einer Warenlieferung, die zur Weiterveräußerung bestimmt ist, die also noch in den Vorräten von A enthalten ist. Die Lieferung erfolgte zum Preis von DM 10 000,—; die Konzernherstellungskosten betrugen DM 8 000,—. Es ist eine konsolidierte Bilanz nach den Vorschriften des AktG aufzustellen.

A

Beteiligung an B	20 000,—	Grundkapital	32 000,—
Vorräte	16 000,—	Rücklagen	8 000,—
Sonstige Aktiva	44 000,—	Verbindlichkeit gegenüber B	10 000,—
		Sonstige Passiva	24 000,—
		Gewinn	6 000,—
	80 000,—		80 000,—

B

Vorräte	8 000,—	Grundkapital	20 000,—
Forderung an A	10 000,—	Sonstige Passiva	14 000,—
Sonstige Aktiva	22 000,—	Gewinn	6 000,—
	40 000,—		40 000,—

Lösung 245:

Konzernbilanz

Vorräte	22 000,—	Grundkapital	32 000,—
Kapitalaufrechnungsdifferenz	4 000,—	Rücklagen	8 000,—
Ausgleichsposten für Minderheitengewinn	400,—	Minderheiten Kapital 4 000,— Gewinn 1 200,—	5 200,—
Sonstige Aktiva	66 000,—	Sonstige Passiva	38 000,—
		Gewinn	9 200,—
	92 400,—		92 400,—

Stichwortverzeichnis